CB143591

O Apóstolo dos Pés Sangrentos

A história do homem que se parecia com Jesus

BOANERGES RIBEIRO

O Apóstolo dos Pés Sangrentos

A história do homem que se parecia com Jesus

CPAD

Todos os Direitos Reservados. Copyright © 1988 para a língua portuguesa de Boanerges Ribeiro.

920 Ribeiro, Boanerges, 1919-
RIBa O apóstolo dos pés sangrentos. Rio de Janeiro, CPAD, 1988.

1. Sadu Sundar Sing - Biografia. 2. Índia - Evangelização. I. Título.

Casa Publicadora das Assembléias de Deus
Caixa Postal 331
20001, Rio de Janeiro. RJ, Brasil

18ª Edição 2005

Índice

SADHU SUNDAR SINGH

Introdução

Nos dias em que o futuro doutor Lutero andava às voltas com a vara paterna, excessivamente solícita em acudir a qualquer travessura, um adolescente faminto abandonava em Talwandi a mulher e dois filhos, e dirigia-se ao deserto em procura de alimento.

O alimento pelo qual a alma de Nanak suspirava era uma compreensão melhor da Divindade, e experiência mais profunda de comunhão com o Eterno.

Quando regressou, foi necessário chamar o Mulá da aldeia para espantar o mau espírito que, no recesso da floresta, se apoderara dele. Inutilmente! Nanak escandalizava os homens na praça com afirmações heréticas: "Não há hindu nem existe muçulmano!" "Vivemos a idade negra: os reis são carniceiros; a justiça bateu asas e voou; e não há uma voz que se levante para fazer brilhar nas trevas a luz da verdade!"

E o sol da tarde, que mal retraçava os vultos pesados dos bois que voltavam do pasto, dava contorno sombrio ao pregador asceta, apenas vestido com a tanga do faquir.

Repudiado pelo pai e escarnecido pela aldeia, deixou-a, atirando-se ao vasto mundo, desejoso de unir em uma as duas religiões então predominantes da Índia, dando ênfase ao que de melhor havia em cada uma. Seu trajo era, por si só, um compêndio de teologia – misto de vestes típicas muçulmanas e hindus. Evangelizando e cantando empoeirou-se nas estradas do Punjab. Multidões fervilhantes de Deli, místicos de Benares, montanheses do Himalaia – todo o Norte o ouviu, durante doze anos. Viu os abismos de Cachemir, a turbulência fronteiriça de Peshawar e, vestido somente de islamita, mergulhou na torrente dos romeiros que iam a Meca. Preso algumas vezes, outras vezes assaltado na estrada, não houve distância nem contratempo que lhe abalasse a convicção de que fora chamado por Brama para reformar o hinduísmo e o maometismo, fundindo-os em um só corpo.

Morto, seu sucessor compilou-lhe os ensinos, e em 1604 já a nova religião possuía o primeiro dos seus livros sagrados, o Adi Granth ("Livro Original"). Denominado em vida *Guru,* mestre, o respeito pelo seu nome foi crescendo com o tempo, até que o transformaram em semideus, a despeito da ênfase que dera ao monoteísmo puro.

O seu ensino irênico foi-se aos poucos submergindo no sangue dos discípulos martirizados e na truculência de alguns deles, que pediam vingança.

Afinal, o sexto guru, Har Govind, desembainhou a espada da insurreição contra o Mogul de Deli, que os oprimia. Correu sangue sik – "discípulos" era o nome que adotavam – nas aldeias e cidades do Punjab. Os gurus que o sucederam foram também batidos, e mais de uma vez. Mas Teg Bahadur, nono na lista dos gurus, foi general de gênio. Rechaçou os maometanos; sob o seu comando os siks romperam para o Sul, atingindo Ceilão.

Ao fogo bélico surgido de longos anos de martírio, acrescentou o guru Govind a união de todos os siks em uma só família, com sobrenome único: Singh, "Leão". Num país onde as barreiras de casta são mais elevadas que as montanhas, os adeptos da nova religião distinguiam-se como membros de uma só Khalsa ou comunidade, por maiores que fossem as desigualdades financeiras que os separassem.

Daca, uma das capitais, foi fortificada. Em Amritzar ergueu-se, no centro do lago da Imortalidade, o magnífico Templo do Ouro, inferior como construção da Índia apenas ao Taj-Mahal.

Após o judaísmo, foi o sikismo, no mundo, a primeira religião que criou um estado.

Mas vieram os ingleses; Dulip Singh, último rei sik, entregou a espada vencida. A rainha Vitória foi coroada imperatriz da Índia e a estrela política do sikismo desmaiou.

O Granth Sahib, livro sagrado que refletia o ensino pacífico de Nanak, recuperou o lugar de honra, suplantando o bravio "Granth do 10º Guru".

Pela força do caráter e pela união, os siks continuaram a ser os elementos nacionais dominantes no Punjab, embora pouco numerosos. Em 1924 havia em toda a Índia 3.400.000 siks apenas. Por ocasião da sanguinolenta guerra dos cipaios, lutaram pelos ingleses, aos quais foram sempre leais. Nas grandes cidades do Oriente o policiamento é geralmente feito por siks.

Inimigos de entorpecentes e do tabaco, cuidadosos com a sua limpeza pessoal, respeitadores dos Livros Sagrados – um respeito que chega às raias da adoração. Seus templos são geralmente grandes edifícios de teto chato onde os fiéis se conservam de pé, ouvindo a leitura de trechos do Granth. Os sacerdotes costumam exortá-los a meditarem sobre o Livro. Os mais piedosos lêem diariamente as escrituras e cumprem certos ritos de adoração.

Tais são os siks, de cujo seio surgiram cristãos do porte de Lilavati Singh, a mestra a cujo respeito o presidente norte-americano Harrison disse: "Se eu tivesse dado às missões um milhão de dólares, ficaria muito contente se, em conseqüência, esta mulher se convertesse"; e Sundar Singh, que se tornou o apóstolo da Índia.

***

Houve um murmúrio inquieto no recinto da Igreja Batista de Nottingham quando o jovem Carey se sentou. As suas palavras ainda ressoavam inesperadas e quase incompreensíveis.

– O dever que têm os cristãos de difundir o Evangelho entre os pagãos.

Fora este o assunto por ele proposto à discussão dos pastores ali reunidos. O moderador ergueu-se agitado.

– Sente-se, rapaz! Quando aprouver a Deus converter os pagãos, Ele não precisará do seu auxílio nem do meu.

O rapaz sentou-se, efetivamente, mas percebeu que nem todos os presentes lhe eram hostis. O assunto estava profundamente enraizado no seu coração e não seria um simples revés o suficiente para o desiludir. Pouco depois, na presença de vários ministros, pregou um sermão que fez época. *"Amplia o lugar da tua tenda, e as cortinas das tuas habitações se estendam; não o impeças; alonga as tuas cordas e firma bem as tuas estacas, porque transbordarás à mão direita e à esquerda; e a tua posteridade possuirá as nações e fará que sejam habitadas as cidades assoladas".* Tese arrojada, mas em tudo verdadeira: no Reino de Deus não há lugar para mediocridade. Quem está em comunhão com Cristo obrigatoriamente erguerá os olhos para os montes. Devemos fazer grandes coisas por Deus e de Deus esperar maravilhas.

Poucos dias depois, doze pastores batistas organizavam a primeira das sociedades Missionárias que modificaram a História da Igreja e do mundo moderno. A quantia arrecadada nessa reunião não foi grande.

Carey nunca fora homem brilhante; mas era um grande coração e um caráter de aço. A sólida cultura formada ao conpasso do martelo, na sua oficina de sapateiro, provava-o. Por isso, foi totalmente fútil a oposição da gananciosíssima East India Company à sua partida: o moço abriu caminho para Índia tão inexoravelmente como o arado que rasga a terra dura.

– Há uma mina de ouro além, na Índia. Eu vou descer e cavar, mas vocês, que ficam, hão de sustentar as cordas.

Com estas palavras William Carey despediu-se do pequeno grupo de amigos que fora ao cais, e largou em direção à sua mina de ouro.

Mas logo verificou que o rico metal estava coberto de espessa camada de lama e podridão. Dificilmente se encontraria num só povo tanta degradação moral como a que havia na Índia. A nação caíra nas mãos dos ingleses como um fruto podre - trezentos milhões subjugados por escassas centenas de europeus a quem um estrategista amador comandava. Os príncipes viviam na luxúria dos serralhos superpovoados; os templos estavam transformados em lupanares; o homem era um objeto de valor unicamente relativo à casta em que nascera; a idolatria mais baixa, consagrando culto imoral ao que de pior existe na natureza, brutalizara a massa. Cerca de 288 meninas em cada dezena de milheiro da população eram consagradas à vida de dançarinas-sacerdotisas nos templos - vale dizer, à prostituição. Trezentos milhões de analfabetos. Trezentos e trinta milhões de divindades - todas elas vestidas, em maior ou menor grau, com os vícios do povo que as criara: de Krishna se dizia que tivera 16.100 mulheres. A carnificina da Cova Negra, em Calcutá, dá idéia do ponto a que chegara a crueldade do povo onde o assassínio de viúvas era legal e o infanticídio elogiável.

Um agregado heterogêneo de raças, costumes, línguas e tradições. Cerca de 200 línguas e dialetos, território vasto e superpovoado.

Essa a mina onde Carey pretendia tirar ouro.

Outros o seguiram, novas Sociedades Missionárias se formaram, a Bíblia difundiu-se, escolas foram fundadas, templos cristãos levantados. No começo do nosso século, cerca de 150 sociedades missionárias labutavam na Índia, com mais de 5000 trabalhadores. Havia nos púlpitos, nos bazares e nas praças aldeãs quase 50.000 pregadores nacionais, e a Igreja pussuía algumas centenas de milhares de membros comungantes.

Começara a formar-se uma Igreja Evangélica Hindu, com características próprias, problemas particulares e soluções específicas.

1
A Influência do Lar

Em meados do século passado, os siks do Punjab rebelaram-se contra o invasor inglês, e o sangue correu, em duas guerras. Subjugados afinal, pouco a pouco foram-se afeiçoando à nova ordem de coisas. Os seus jovens começaram a alistar-se nos corpos de tropa nacional, organizados e comandados por ingleses; os marajás aproximaram-se dos oficiais britânicos e auxiliaram-nos com o prestígio que ainda possuíam aos olhos do povo. Gradativamente a velha autoridade foi-lhe restaurada, até que os estados siks se tornaram semi-independentes e os rajás voltaram a ter autoridade suprema sobre as pessoas dos seus súditos – autoridade arbitrária e sem peias, somente limitada pela submissão aos ingleses.

Dos três principais estados siks, Patiala ou Putiala era o mais importante, com cerca de milhão e meio de habitantes e um território de planícies cultivadas que se estendia até as montanhas de Simla. O país estava dividido em distritos centralizados em determinadas aldeias, de governo hereditário.

O distrito que tinha como centro Rampur era governado pelo sardar Sher Singh, e foi nessa aldeia que, a 3 de setembro de 1889, nasceu-lhe o último filho, que recebeu o nome de Sundar.

A vida em Rampur era tranqüila e patriarcal. Como irmão mais velho, Sher Singh chefiava não só a própria família, mas também a de seu pai, já falecido, e alguns dos seus irmãos e sobrinhos residiam com ele no velho solar da família. Outros serviam ao marajá em Patiala e um deles ocupava alto posto na direção do estado.

A influência da civilização ocidental era quase nenhuma. Falavam a língua nacional, praticavam regularmente os atos de culto e as crianças cresciam no respeito aos pais, observando a bela amizade entre marido e mulher e o lugar de honra que a mãe ocupava na casa, como de costume entre os siks. A sonolência da aldeia era apenas sacudida de madrugada pelo apito agudo do comboio de Ludiana que às cinco horas penetrava na estaçãozinha, bufando e cobrindo de vapor quente os passageiros que se erguiam na plataforma onde tinham passado horas à espera, com característico desprezo oriental pelo tempo.

Enquanto a madrugada avermelhava o céu, os meninos tangiam para o pasto os grandes bois de que cuidavam e no bazar iniciava-se a azáfama dos pregões, das juras e das pragas que na Índia acompanham as transações comerciais.

E ao passo que Sher Singh após o banho e rápidas orações tomava a refeição da manhã e saía acompanhado pelos dois filhos mais velhos, para os trabalhos do dia, sua piedosa esposa consagrava-se com mais demora ao banho cerimonial, lia atentamente o Gita e depois se dirigia à Gurdvara – o templo sik – onde cumpria seus deveres de adoração. Acompanhava-a sempre a filha e, quando começou a andar, o pequeno Sundar, a quem, desde que aprendeu a falar, ensinou orações que devia fazer ao levantar-se, antes da primeira refeição do dia, pedindo aos deuses alimento espiritual; inutilmente o pequeno, nas madrugadas frias, tentava satisfazer antes da oração a fome devoradora com que acordava: com palavras carinhosas a mãe obrigava-o a iniciar o dia entrando em comunhão com a divindade – e quando palavras carinhosas não o convenciam, reforçava-as com meia dúzia de palmadas, argumento que o filho sempre considerava decisivo, nesses tempos.

Assim cresceu Sundar Singh, ouvindo diariamente a leitura dos livros sagrados que a mãe fazia, acompanhando-a ao templo, atento aos conselhos e às dissertações oraculares do sacerdote, visitando o velho sadu do bosque próximo e escutando as longas e às vezes mal compreensíveis palestras que mantinha com sua mãe, para a qual esse sadu era grande e respeitável santo. Mesmo durante o verão, quando a canícula ameaçava enlouquecer os homens e os animais, e a família de Sher Singh abalava para a propriedade que tinha nas frescas montanhas de Simla, a atmosfera que a mãe criava em torno da filha e de Sundar era profundamente religiosa.

Talvez fosse mais precioso dizer que a atmosfera que envolvia esses três membros da família era de intensa inquietação religiosa – uma inquietação que não atingia Sher Singh, homem prático e dedicado às coisas práticas da terra, nem a seus filhos mais velhos. Mas a mãe sentia haver uma profunda paz reservada para os que atingem a verdade absoluta, e sofregamente buscava essa paz; não se satisfazendo com os ensinos siks, buscava também os brâmanes; jejuava dias seguidos, absorvia-se cada vez mais nas suas orações; e, impelida pela procura da paz, chegou mesmo a receber com alegria a visita que uma vez lhe fizeram as mulheres da Missão Presbiteriana que acabava de abrir uma escola em Rampur. Nada ambicionava mais que a carreira religiosa para o filho menor, a quem seu coração se unia pela mais terna amizade.

Esse afeto moldava a alma dócil da criança, e afinal comunicou-lhe a mesma inquietação febril. Certa tarde regressava do bosque e reinava entre ambos um silêncio pesado de pensamentos; o sadu falara longamente da inexcedível paz reservada aos que atingem o absoluto. Como atingir essa paz? Quando a sombra da grande figueira que cobria a entrada da casa de Sher Singh os abrigou, a mãe colocou a mão no ombro do filho:

– Tu deves procurar essa paz na tua própria alma e amar a religião. Um dia poderás ser sadu.

E na alma do menino, precoce como em geral o são as crianças indianas, principiou a esboçar-se a angustiante luta consigo mesmo – o desespero que antecede a paz.

A influência de Sher Singh sobre o filho menor não foi tão profunda: separavam-nos os temperamentos diversos. Sundar Singh, desde a infância envolvido pela preocupação espiritual, era introverso; o pai era homem prático e pouco dado a especulações, amarrando aos deveres diários de governador do distrito, melhor compreendido pelos dois filhos mais velhos, que preparava para substituí-lo na administração.

Mas sua figura austera e bondosa marcou também a paisagem da infância de Sundar, que anos mais tarde referiu um incidente bem característico das relações então existentes entre pai e filho:

Certo dia em que se dirigia ao bazar para comprar doces, o pequeno encontrou-se com uma velhinha esfarrapada que lhe estendeu a mão. Compadecido, fez o que muitas vezes vira a mãe fazer: deu-lhe as moedas que trazia e voltou sem os doces. Mas afligia-o a certeza de que aquelas moedinhas não seriam suficientes para remediar as urgentes necessidades da coitada. Vira o vento frio agitar-lhe os farrapos em torno do corpo magro, e gostaria de poder abriga-la melhor. Procurou o pai, contou a história e perguntou se não seria possível darem à velha cinco rupias, para agasalhos. Distraído, Sher Singh respondeu que várias vezes a socorrera, e que agora competia a outrem fazê-lo. Mas o filho não se conformava com esta solução. Sabia onde ficava o dinheiro do pai. Silenciosamente retirou cinco rupias e disparou para o bazar. Mas as moedas queimavam-lhe a mão. Aquilo era roubar, e ele compreendia bem o valor moral da ação praticada. E se o pai descobrisse? Não temia o castigo, mas temia perder a amizade e a confiança da família. Deteve-se. Olhou as moedas, fechou-as novamente na mão e voltou rapidamente. Havia gente perto do cofre. Escondeu o dinheiro e nada disse. Mas tarde o pai notou a falta das rupias. Falta incompreensível, pois tinha a certeza de havê-las guardado. Procurou melhor – em vão. Perguntou ao pequeno Sundar se as tinha visto e ele respondeu que não. Não era quantia grande e logo Sher Singh se esqueceu do caso.

Anoiteceu e todos se recolheram, após a leitura de um trecho do livro sagrado. Mas o filho mais novo revolvia-se na cama, inquieto. Passou a noite em claro e no dia seguinte, mal a madrugada começou a avermelhar o céu, correu ao lugar onde escondera o dinheiro, retirou-o e foi entregá-lo ao pai, confessando a culpa.

Imediatamente o tormento interior que roía desapareceu, dando lugar a uma grande tranqüilidade. Que viesse o castigo.

Mas Sher Singh apenas observou, depois de tudo ouvir:

- Eu sempre confiei em ti, meu filho, e agora vejo que não me enganava!

E, estendendo a mão aberta:

- Aqui está o dinheiro. Leva-o à mulher.

Podemos imaginar o respeito e a admiração do pequeno pelo pai.

Mas era evidente que o sardar não estava em condições de compreender as esquisitices do filho. Enquanto os primos e os irmãos maiores brincavam, Sundar absorvia-se na meditação do sentido dos textos sagrados. Aos sete anos sabia o Gita todo de cor. Quando aprendeu a ler, mergulhou nas Escrituras, e era um quadro comovente o daquela criança com menos de dez anos, que se curvava junto à lâmpada de óleo, lendo, lendo no silêncio da casa adormecida. Quantas vezes Sher Singh acordava pelo meio da noite e ia arrancar o filho do livro:

- Ler até tão tarde faz mal.

Mas mal maior lhe fazia o desespero - a ânsia de paz que já o devorava.

Quando, entrando em casa, o sardar procurava o filho menor, era seguro que o encontraria encolhido nalgum canto, pensativo, ou com um livro sagrado na mão, esquecido do mundo. Sacudia-o com amistosa severidade:

- Meninos da tua idade só pensam em brincar e em se divertir. Como é possível seres tão cedo dominado pela mania religiosa? Mais tarde tu terás tempo de sobra para pensares nisso.

E, afastando-se, ainda resmungava:

– Só pode ter apanhado esta loucura da mãe e do sadu!

Mas a mãe compreendia-o perfeitamente; nas suas orações não deixava de pedir por ele, desejosa de vê-lo sempre tão piedoso.

E essa mútua compreensão, quando os outros o hostilizavam – ainda que carinhosamente – estreitava mais os laços que os uniam. Durante toda a vida sempre se referiu a ela com saudade e amor. "Minha mãe criou-me em atmosfera de devoção. Preparou-me para a obra de Deus. Creio que todo o homem religioso tem mãe religiosa. Foi o Espírito Santo quem me fez cristão. Mas quem me levou a ser Sadu foi minha mãe". Quando nos seus sermões, anos mais tarde, falava às mães, seus olhos brilhavam, e nunca deixava de ser referir, agradecido a Deus, à mãe piedosa que tivera. Um pastor, quando lhe sugeriu a oportunidade de freqüentar uma Escola de Teologia, surpreendeu-se com a resposta:

– Pois já estive no melhor seminário do mundo.

– Qual?

– O regaço de minha mãe.

Os anos em Rampur passavam-se tranqüilamente, sem agitações nem novidades. Com os anos acentuava-se o temperamento religioso do menino. Era ele agora um adolescente pálido e acanhado e nada indicava a saúde de ferro que mais tarde possuiria. Os moradores da aldeia costumavam vê-lo descer pelo quintal da casa até o leito do caminho de ferro, por onde andava horas, absorto em pensamentos, ou a cruzar as ruas em companhia da mãe, na direção do bosque onde o velho sadu aguardava a morte. Mas um dia a madrugada veio e ele saiu só, mais distraído que de costume, se possível. Logo a aldeia toda ficou a saber que o sacerdote fora chamado com urgência à casa do sardar, para invocar os deuses em benefícios da dona da casa, gravemente enferma. As visitas do sacerdote se amiudaram; o rosto do Sher Singh cobriu-se de sombras e alguns dias depois o choro subia das varandas da sua casa para os deuses que não haviam atendido ao sacerdote.

A morte da mãe foi para Sundar Singh um golpe doloroso. Foi como se lhe arrancassem uma parte da própria personalidade. Dias e noites penou amargurado, duvidando até da existência de Deus. Tinha catorze anos e penetrava pela via do sofrimento na grande crise que decidiu o seu destino: a luta com Cristo.

2
A Luta com Cristo

O espírito de Sundar Singh debatia-se nas trevas e já não havia na terra quem o compreendesse.

Outra grande alma que a Índia conheceu, Renée de Benoit, descreve com termos precisos esse estranho aperto de coração que os adolescentes de temperamento e educação religiosa costumam sentir:

"Na Convenção de Chexbres foi como se Deus se escondesse e me deixasse entregue a mim mesma e ao mal. Os hinos que ressoavam aos meus ouvidos e a linguagem cristã causavam-me repulsa. A nossa mãe não atinava com o que eu tinha. Não fui jantar naquele dia; soluçava no meu quarto. Oh! era terrível. Não podia orar..."

Renée de Benoit era filha de Cristãos, dos quais recebera desde a mais tenra infância o conhecimento de Cristo. Aquele dia assinalou na sua vida o desejo de ter a sua experiência com Cristo; até ali conhecia Cristo através de informações fornecidas por outrém, mas não o encontrara pessoalmente; de súbito verificava que o que a alma desejava era uma experiência da realidade e não apenas informações a respeito dela.

A luta desse outro adolescente, Sundar, é mais patética: a alma sente que existe o Caminho, mas não o conhece; anseia por ele, e tateia nas trevas. São dois náufragos entregues ao poder maléfico das ondas. Um vê ao longe a praia e esforça-se por alcançá-la; outro, cego, sente que existe praia, mas não sabe onde e luta com as ondas e com o próprio desespero.

"Nem um instante posso viver sem ti, Senhor. Tenho tudo, quando sinto que estás em mim: porque Tu, Senhor, és o meu tesouro. Suspiramos por ti, ó Senhor; temos sede de ti. Somente em ti o nosso coração descansa."

Estas palavras dos mestres acenavam com uma paz inexcedível. Mas onde encontrá-la? Nos livros sagrados? Acentuava-se cada dia a sua tendência de devorador de textos religiosos. Aos 15 anos já conhecia o Granth dos siks, o Corão, e cerca de 52 Upanishads. Ou seria nas boas obras que se encontrava a salvação? Não havia mendigo no distrito que não o procurasse, pois a sua fama de caritativo já se espalhara.

Mas cada dia, depois de atravessar todos os tediosos rituais do sikismo e do hinduísmo, de perder horas embebido nos livros e de atender a todos os mendigos, lá se dirigia, cabisbaixo e pálido, para o bosque, à procura das sábias palavras do sadu. E cada dia regressava mais vencido, como um tântalo adolescente que nem ao menos visse o lago de água fresca para os lábios febris.

Afinal, depois de tentar inutilmente acalmar aquela sede assustadora com citações e discursos, o velho santo do bosque confessou-se vencido:

– Meu filho, é inútil perderes tempo agora com estas coisas.

E, vendo acentuar-se a amargura nos olhos do rapaz:

– Mais tarde conseguirás entendê-las.

Mais tarde?

Falava-se muito nas práticas sublimes do ioga. Um homem que se assenhoreasse dos seus mistérios conheceria o Céu na Terra e entraria imediatamente na posse da salvação. Havia em Rampur um brâmane iogue, e Sundar procurou-o, sujeitando-se ao penoso aprendizado dessa arte de auto-hipnotismo. Chegou ao êxtase. Era uma maravilha. Tudo desaparecia, para dar lugar à veemente sensação de paz e esquecimento. Horas depois – ou seriam minutos? – voltou a si, sob o riso radiante do brâmane, seu mestre. Mas a cabeça pesava e o corpo doía, como se houvesse transportado pesada carga. O mundo era o mesmo, e Sundar Singh era também o mesmo, ainda com mais tristeza e amargura na alma, depois do transe enganador.

Abandonou o ioga. Buscava a Realidade, e não um fogo fátuo.

Sher Singh cada dia se preocupava mais com o filho. O rapaz definhava agarrado aos livros ou com os olhos fitos no vácuo, esquecido do mundo. Nem estudara, depois de aprender a leitura. Talvez novas preocupações o curassem daquela infeliz mania.

Dizia-se que os mestres da missão americana ensinavam bem. Verdade que eram malditos cristãos, com os quais um bom sik não devia ter contato; mas ensinavam bem e não havia outra escola em Rampur...

Sundar foi matriculado na Escola Presbiteriana. Cruzou o portal em companhia de outro adolescente de Rampur que no mesmo dia se matriculara.

Desambientados, foram sentar-se na carteira que a professora indicou e dali Sundar examinou cautelosamente a sala e a professora; a desconfiança bailava nos seus olhos negros e profundos.

A estrangeira apanhou na mesa um livrinho de capa preta e entregou-o aos novatos, aberto no início, para verificar o seu grau de adiantamento. O filho do sardar tomou-o e leu-o em silêncio no ponto que a unha da professora assinalara: "Pai nosso que estás nos Céus, santificado seja o teu nome, venha o teu Reino..." Recuou algumas linhas, e viu o nome de Cristo. Era o livro dos cristãos! Fechou-o imediatamente e empurrou-o, temeroso do contato imundo.

– Leia, convidou a professora.

Após longo silêncio, ressentido, Sundar replicou:

– Por que o leria? Somos siks. O nosso livro sagrado é o Granth.

– Mas o que eu quero não é que se façam cristãos; você pode ler o Novo Testamento e continuar sendo sik.

E como ambos se obstinassem na recusa, pacientemente mostrou-lhes o Regulamento da Escola, que dizia ser o livro de texto o Novo Testamento. Não se obrigava pessoa alguma a matricular-se; mas quem o fizesse deveria cumprir as regras do estabelecimento. Pensassem nisso e comprassem o Novo Testamento para acompanhar a classe.

Quando soube do caso, Sher Singh simplesmente estendeu ao filho o dinheiro para a compra, e Sundar, relutante ainda, foi adquirir uma Bíblia.

Começou a lê-la, sem prazer.

Homem estranho, esse Jesus Cristo de que o livro falava; suas palavras prendiam o coração. A alma febril sentia haver em Cristo algo novo, refrigerante como a brisa nos dias de canícula. Absorveu-se na leitura.

Em certo ponto, todavia, percebeu que havia ali ensinos totalmente contrários às suas crenças; ensinos que poriam por terra a doutrina de sua mãe. Fechou o livro, indignado.

Mas o magnetismo de Cristo já o prendia. Voltou à leitura, contrafeito e desejoso de encontrar contradições e erros. Mas tão logo mergulhava no Evangelho, esquecia o mundo, e certa vez, mesmo, um amigo o assustou, tocando-lhe no ombro durante o seu estudo da Bíblia:

- Tu não deves ler esse livro.

- Por quê?

- Por causa do feitiço que nele existe. Tornar-te-ás cristão. Muitos outros começaram a lê-lo e tornaram-se cristãos. Não o leias.

E afastou-se.

Deixando o livro, Sundar Singh franziu o sobrolho, perplexo. Haveria então tanto poder nesse livro? Aquele homem não era cristão, mas reconhecia que o livro dos cristãos possuía uma força estranha. E se esse livro o levasse a abandonar a sua religião?

Atirou a Bíblia para longe, horrorizado, e resolveu não voltar à escola cristã.

O ano letivo terminava e o prático Sher Singh não via motivo para o filho perder os exames. Fez os exames e pediu ao pai que o matriculasse na escola hindu da aldeia próxima. Estava resolvido a não mais lidar com cristãos, nem com o seu livro mágico.

Mas não fora sem conseqüências que passara catorze anos enclausurado em casa ou na penumbra dos templos e do bosque; não tolerou a violência do sol que o castigava asperamente durante os quatro quilômetros do percurso e teve de voltar à escola cristã poucos meses depois.

Desta vez a sua reação foi violenta. Todo o seu ser se revoltava contra os estrangeiros e contra a sua religião. Odiava-os. Zombava da Bíblia.

Por essa época o missionário, disposto a romper o círculo de ferro dos preconceitos que limitavam o seu campo de ação, iniciou reuniões de pregação ao ar livre, junto ao bazar.

Certa tarde, quando erguia a Bíblia e citava um texto, um grito escarninho interrompeu-o, seguido de formidável vaia. Insistiu. Uma pedra assobiou sobre a sua cabeça, logo seguida de outras, e o pequeno grupo de cristãos que o acompanhava dispersou-se, desanimado.

Quando se retirava, ainda sob a vaia desrespeitosa, o pregador surpreendeu-se com a expressão de ódio que incendiava os olhos do filho do sardar.

E desde aquele dia Sundar Singh tornou-se o líder da malta desordeira que tomara a peito varrer os missionários de Rampur.

Essa luta era um derivativo para a angústia interior que o roía, e era a reação da alma à verdade que pressentia em Cristo. Uma verdade que, antes de construir nele a nova criatura, necessariamente reduziria a pó o edifício já existente. Sua intuição não o enganava.

E tamanho era o seu horror a Cristo que, quando a sombra do missionário caiu sobre ele, correu para casa e passou toda uma hora lavando-se para se purificar do contágio imundo...

Como se isso não bastasse, agarrou a Bíblia, despedaçou-a diante do estupefato Sher Singh, embebeu de petróleo as páginas rasgadas e lançou-lhes fogo. A chama destruiu o livro tão violentamente como as paixões lhe consumiam o ser. O rosto de Sher Singh tornou-se severo. Não aprovava tanto fanatismo e repreendeu o filho. Mas Sundar, fora de si, ainda atirou às labaredas que lhe avermelhavam a silhueta esbelta os outros livros da Escola Cristã. E seus olhos brilhavam de forma tão maligna como as línguas vermelho-amareladas que rapidamente lambiam as páginas despedaçadas daqueles volumes malditos.

Era o paroxismo. Depois daquilo, passou a viver como se tivesse veneno nas veias. Afinal, na madrugada do terceiro dia, chegou a uma resolução desesperada. Para ser mais preciso: na madrugada de 18 de dezembro de 1904.

"...E assim decidi abandonar tudo e acabar com a vida. Três dias depois de queimar a Bíblia levantei-me às três da manhã, tomei o banho usual e orei: 'Ó Deus – se é que Deus existe – mostra-me o caminho certo ou eu me mato!' Se não encontrasse paz, poria a cabeça no trilho do caminho de ferro, quando viesse o comboio das cinco horas, e ali morreria. Tinha a impressão de que encontraria sossego na outra vida, se não o encontrasse nesta: E ali fiquei, orando continuamente, sem resposta. Teria mais meia hora de oração, na esperança de paz. Às quatro e meia vi algo que nunca imaginara antes: vi uma grande luz no aposento; pensei que fosse incêndio. Olhei ao redor, mas nada descobri. De repente veio-me à idéia que isso podia ser a resposta de Deus. E, enquanto orava e continuava olhando para a luz, vi o vulto do Senhor Jesus Cristo. Era uma aparição gloriosa, plena de amor. Fosse alguma encarnação hindu, eu me teria prostrado diante dele. Mas era o Senhor Jesus Cristo, o qual, poucos dias antes, eu insultara. Senti que essa visão não podia ser fruto da imaginação. Uma voz me disse em hindustani: – 'Até quando me perseguirás? Eu vim para salvar-te; oravas para conhecer o Caminho verdadeiro. Por que não o tomas?'

"Veio-me à mente uma idéia: Jesus Cristo não está morto, mas vive, e este é Ele mesmo!

"Caí aos seus pés e senti essa paz maravilhosa que não havia encontrado noutro lugar. Era essa a paz que eu buscava. Aquilo era o próprio Céu. Quando me levantei, a visão tinha desaparecido, mas a paz e a alegria permaneceram comigo para sempre.

"Saí e fui dizer ao meu pai que me fizera cristão. Ele respondeu-me: – Vai deitar-te e dormir; pois se anteontem mesmo tu queimavas a Bíblia, como me vens agora dizer que és cristão?

"Expliquei: – É que verifiquei hoje que Jesus Cristo está vivo, e resolvi segui-lo. Hoje eu me tornei discípulo dele e passei a servi-lo."

3
A Tormenta

Por esse tempo julgava-se em Rampur uma das causas mais ruidosas de que tinham notícia os tranqüilos aldeãos. O chefe de uma das mais ricas famílias do lugar levara ao tribunal os missionários sob a acusação de corromperem o seu filho em lugar de o instruírem.

Tratava-se exatamente do rapazinho que acompanhara Sundar no seu primeiro dia de aula. Após a rebelião inicial, ele havia dado atenção ao Novo Testamento e terminara por se converter. E como promessas, pedidos, ameaças e maus tratos não o convenciam, o enfurecido pai chamou os missionários ao tribunal.

No dia em que a causa foi julgada uma multidão rumorosa apinhava-se em torno dos réus e do denunciante, que entremeou a acusação de pragas e invectivas bem sintomáticas da sua própria necessidade de conversão.

O rapaz foi chamado a depor.

Não se sabe como conseguira conservar consigo um exemplar do Novo Testamento; apresentou-se com ele na mão. Vinha pálido e abatido, mas no rosto transparecia a firmeza. Todos os olhos o fitaram quando o juiz perguntou se eram verdadeiras as acusações do seu pai. Ele disse:

– Não é por causa dos missionários que eu creio em Cristo. Podem soltá-los.

Um arrepio percorreu a assistência. E o jovem, erguendo o Novo Testamento:

– É pela leitura deste livro.

O pai cerrou os dentes, pálido de ódio. Absolvidos os missionários, segurou o braço do filho e, sem pronunciar palavra, levou-o.

Trancou-o num quarto, em casa. À hora da refeição atirou-lhe o alimento como a um animal, sem mesmo olhá-lo.

Amargurado, o moço abaixou-se e comeu. Minutos depois sentiu no estômago uma dor violenta, como de punhalada, e alguns segundos mais tarde estava morto.

O eco desse escandaloso caso ainda não se apagara nas conversações da praça e do bazar, quando novo rumor se ergueu: os meninos da Escola andavam a dizer que o filho do sardar se fizera cristão. Realmente, já não era visto matinalmente na Gurdvara, nem as suas tardes eram passadas no bosque, junto ao sábio e santo sadu.

Um dia um remoque mais claro fez corar o filho primogênito de Sher Singh que, ao chegar a casa, pediu ao pai providências. A família reuniu-se, pontilhando a queixa de apartes aprovadores. Mas Sher Singh, que vira o seu filho queimar a Bíblia um dia para logo depois vir acordá-lo com a notícia de que se fizera cristão, não o tomava a sério. Conhecia o rapaz: voluntarioso e, ressentido, embirraria no cristianismo se o aborrecessem, mas logo o esqueceria se não dessem importância.

– Deixem-no em paz. Se ninguém se incomodar, logo esta loucura passará.

Mas os outros não queriam saber de tolerância. À tarde, quando Sundar se assentou para a refeição, silenciosamente se ergueram, deixando-o só diante do pesaroso pai. Para não expulsar a família toda, teve de pegar no prato e ir comer fora, como um pária. Quando terminou, ergueu-se e foi trancar-se no quarto, buscando no Novo Testamento e na oração forças para a tormenta que pressentia.

O ambiente familiar tornava-se cada dia mais carregado. Afinal Sher Singh resolveu defrontar a situação e procurou o filho. Expôs-lhe os seus aborrecimentos. Se Sundar continuasse obstinado no seu cristianismo, ele acabaria por perder o respeito do Distrito. Afinal, era sardar, e se na sua própria casa se manifestava a apostasia, com que autoridade imporia ao povo acatamento aos princípios e costumes siks? Não somente ele, mas toda a família já sofria com a teima de Sundar. Pois então ele não podia dirigir o seu fervor religioso para outro lado, se lhe era mesmo impossível abandonar esse fanatismo que manifestava desde a infância? Não tinham eles a sua divindade? Não possuíam eles livros sagrados? Não viviam tão bem com a religião dos seus antepassados? Para que, agora, esse estranho capricho? O cristianismo era religião de estrangeiros - dos estrangeiros que oprimiam a Índia.

Falava com calma e gravidade, como se o filho menor fosse um adulto que lhe merecesse todo o respeito e consideração.

E quando o rapaz respondeu, com firmeza, que não se tratava de mania nova, mas de uma realidade que o dominava e à qual consagraria a vida, fez a derradeira tentativa: bem, pois que se fizesse cristão, se isto lhe agradava. Mas o pai pedia-lhe ao menos um favor: que não lhe enxovalhasse o nome proclamando a torto e a direito que tinha uma nova religião. Seguisse a Cristo em silêncio, em casa. Que necessidade havia de lançar publicamente lama sobre o nome honrado da família?

Pensasse naquilo durante a noite e na manhã seguinte o procurasse com a resposta.

Sundar Singh passou a noite no vale da sombra da morte. Afinal, que mal haveria em ir a Ludiana, batizar-se e voltar depois, sem bulha, para se consagrar ao estudo do Evangelho e à oração, na calma do lar paterno? Talvez mesmo chegasse o dia da conversão do pai, e então ele proclamaria publicamente a sua crença.

Mas o Evangelho era claro: Cristo exigia tudo e imediatamente. Contemporizar era impossível.

Ao raiar o dia, Sundar apresentou-se ao pai, com os olhos fundos da insônia.

Sher Singh ergueu a cabeça e uma exclamação de horror escapou-lhe dos lábios: a longa cabeleira negra do filho – distintivo e orgulho dos siks – fora cortada rente e ele apresentava-se ao pai como um renegado maldito.

Desta vez quem desencadeou a perseguição foi o sardar. Poucos dias depois fechava-se a Escola e os missionários eram expulsos de Rampur. Os cristãos hindus foram completamente isolados. Certo dia um deles dirigiu-se ao bazar, para fazer compras. Inexplicável surdez acometera os mercadores e ele voltou de mãos vazias. E desde essa hora, cristão algum conseguiu comprar fosse o que fosse em Rampur. Afinal, vencido, um deles retirou-se com os seus poucos haveres. Logo outra família melancolicamente seguiu-o e dentro de pouco tempo Sundar Singh era o único cristão residente na aldeia, rodeado de parentes que o odiavam, observado com amargura pelo pai, cujo cabelo começava a branquear.

Foi por essa época que surgiu em Rampur o irmão de Sher Singh, oficial do Rajá. Mal chegou, percebeu que alguma coisa havia acontecido. Não via Sundar durante as refeições e quando perguntava por ele a interrogativa perdia-se no ar e outros levantavam assuntos diversos, como se os ouvidos da família estivessem trancados para esse nome.

Afinal, um dia viu o sobrinho com o seu Novo Testamento em urdu, sem a longa cabeleira sik, e compreendeu tudo. Homem experimentado, afeito às intrigas e aos jogos psicológicos da corte, nada lhe disse, e foi trancar-se na sala com o irmão; palestraram longamente. O resultado da palestra foi uma súbita melhoria da atitude da família, talvez causada pela evidente simpatia com que o tio tratava aquele maldito cristão.

Essa simpatia chegou ao cúmulo quando o bondoso parente o convidou a passar algumas semanas em sua casa, na capital. Aceitou com prazer, dando graças a Deus pelo descanso que o passeio lhe proporcionaria.

Em casa do tio todo os rodearam de simpatia e amizade, e seu coração começou a ligar-se por profundo afeto àquele bondoso irmão do seu pai.

Um dia o bom homem convidou-o a descer à adega da casa, onde estava guardada a riqueza da família. Desceram pela escadinha de pedra, escura e íngreme, e mal iluminada pela chama vermelha da lanterna. A pesada porta rangeu e os dois entraram na sala úmida e empoeirada, onde as sombras dançavam sinistramente. Deixando no pó a marca das suas sandálias, o tio dirigiu-se ao canto onde estava a arca; curvou-se, lutou com a fechadura enferrujada e ergueu a tampa, colocando num dos cantos da caixa aberta a lanterna. Sundar aproximou o rosto, curioso. Era um sonho. Centenas de moedas amarelas brilhavam foscamente; barras de ouro maciço! pacotes de papel-moeda. O dono daquele tesouro mergulhou nele as mãos e erguendo-as deixou cair pedras preciosas que cintilavam com brilho misterioso e malévolo.

Depois, endireitou-se; ergueu a mão direita e arrancou o turbante que atirou ao pó. Era a maior humilhação possível para um nobre sik. E, fitando nos olhos o sobrinho, assombrado:

– Fica conosco, filho. Toda esta riqueza te pertençerá.

Compreendendo o motivo da humilhação do seu tio, Sundar Singh chorou, comovido.

No dia seguinte voltava para Rampur, deixando atrás de si ressentimento e rancor, pela obstinação insultuosa com que se apegava ao seu cristianismo.

A tentativa final foi feita por um cunhado, oficial do Rajá de Nabha. Levou consigo o irmão da sua mulher, na esperança de que o esplendor da corte, as vestes magníficas, o ambiente de riqueza tão diverso da vida sonolenta da aldeia o fizessem mudar de pensamento.

Por acaso o Rajá veio a saber que em casa de um dos seus servidores estava um rapazinho de descendência nobre, convertido ao cristianismo, e considerou ponto de honra atraí-lo novamente à velha e boa religião do Punjab; mandou chamá-lo.

Maravilhado, Sundar atravessou os jardins, as salas e os corredores do palácio. Aberta com cerimônia uma porta, avançou às tontas e viu-se diante de uma enorme sala, onde um círculo de homens de idade, magnificamente trajados, assentavam-se em coxins. Era a Durbar – o Senador estadual – presidido pelo próprio Rajá.

Inclinou-se respeitosamente. O Rajá recebeu-o com um sorriso e amistosamente o exortou a abandonar a nova religião. Os siks eram povo nobre e guerreiro, respeitado pelos próprios ingleses. Seus feitos de armas eram lembrados com orgulho. Eram Singhs (Leões). Pois então Sundar Singh abandonaria este nome glorioso para adotar o de Sundar-Cão? (Para um sik, abandonar a sua religião e aceitar a de Cristo equivalia a transformar-se de Leão em Cachorro).

Os sábios membros da Durbar curvavam respeitosamente as venerandas cabeças a cada frase.

Modestamente, Sundar expôs as razões da sua conversão e reafirmou o seu propósito de permanecer crente em Cristo.

Os senadores mordiam os lábios de cólera. Eles sabiam muito bem resolver esses casos e chamar à pedra rapazolas impertinentes. Com um gesto impaciente de despeito, o Rajá despediu-o, e ele acompanhou de regresso pelas salas e corredores do palácio o desapontado cunhado.

Depois disso a tempestade que desde nove meses se acumulava sobre a sua cabeça desabou com fragor.

Levado de volta a Rampur, ali o esperava Sher Singh, que se afastou para não tocar naquele filho infeliz. Deram-lhe comida.

Ao entardecer, a família se reuniu. Rodeado por filhos e sobrinhos, o porte de Sher Singh erguia-se como o de velha figueira majestosa entre árvores menores. Com dureza e desprezo comtemplou o renegado, que olhava o chão humildemente. Custava-lhe compreender que *aquilo* fosse realmente o seu filho mais novo. Pronunciou sobre ele a mais terrível das maldições, e deserdou-o e o declarou sem casta.

Depois enxotou-o como a um cão.

"Bem me lembro da noite em que fui expulso de casa – a primeira noite... Passei-a ao relento sob uma árvore. Nunca me havia acontecido isso. Não estava acostumado à vida sem conforto. Pus-me a pensar: 'Até hoje eu vivi no luxo da minha casa; agora, aqui estou, tremendo de frio, com fome e sede, e sem abrigo'. Ali fiquei a noite toda. Mas lembro-me da alegria maravilhosa que sentia e da paz de alma. Para mim, aquela noite foi a primeira que passei no Céu. Uma alegria inexplicável fazia-me comparar aquela hora com o luxo da minha casa, onde eu não encontrara paz para o coração. A presença do Salvador transformava o sofrimento em paz."

4
Os Cristãos

Bufando como uma fera, o comboio de Ludiana cobriu a plataforma com o seu vapor esbranquiçado e quente.

O rapazinho que o aguardava havia mais de uma hora, ergueu-se e penetrou na terceira classe, onde o recebeu a desconfiança dos camponeses sonolentos; acomodou-se num canto e cerrou os olhos.

O apito agudo fê-lo estremecer e fitar a aldeia, cujas casinholas pobres se acomodavam resignadamente em torno da Gurdvara. O comboio partiu com um arranque; segundos depois Rampur desapareceu, e Sundar Singh compreendeu que estava só no mundo com Cristo.

Mergulhou na oração, comprimindo com força o Novo Testamento junto do peito e não sentiu as horas que passavam. Quando abriu os olhos, o sol já castigava violentamente a terra. Estaria longe de Ludiana? Encontraria ali os missionários que conhecia? Um solavanco violento arrancou as suas cogitações. Olhou pela janela e viu uma aldeola pobre que timidamente fugia da estação. ROPUR. Ropur? Ouvira dizer que a maior parte dos cristãos de Rampur estava ali. Por que não os procuraria?

Desceu no momento exato em que o comboio partia e perguntou a um camponês se ali havia um ministro cristão.

- Cristão?

O homem fitou-o, desconfiado, e apontou vagamente.

Tomou o rumo indicado.

Uma pontada feriu-lhe o estômago. Seria fome? Não conhecia ainda a linguagem dessa companheira desapiedada. Apressou o passo, indagou novamente e afinal atingiu a casa do pastor indiano. O estômago estava em fogo. Bateu. Ouviu passos. A dor tornava-se mais aguda; era como se acabasse de engolir brasas. Contorceu-se de dor.

E o pastor, atônito, teve de carregar para dentro um estranho rapazinho sik de cabelos rosados que vomitava sangue, que não conseguia falar e agarrava convulsivamente um Novo Testamento em urdu. Colocou-o na cama e mandou chamar o médico, que, ao ouvir o caso, examinou atentamente a espuma que manchava os cantos da boca do rapaz. Movendo a cabeça, desanimado, citou um veneno mortal; ao sair prometeu voltar no dia seguinte para o atestado de óbito.

O dia foi passado em agonia. Quando as trevas envolveram a aldeia, a esposa do pastor veio assentar-se à cabeceira do enfermo, e ali ficou toda a noite, tentando em vão refrescar-lhe a testa escaldante.

Entre um e outro acesso de delírio, Sundar agarrava-se à convicção de que devia servir seu Mestre na terra; não podia ainda morrer. Não podia!

A manhã encontrou-o vivo. Nos dias seguintes, fraco e abatido, o cuidado do pastor e da sua esposa não o abandonou.

Afinal, convalescente ainda, retomou o caminho de Ludiana.

Quando o comboio desapareceu e o pequeno grupo cristão se dispôs a regressar à aldeia, o médico tomou também a sua resolução; tinha visto a mão de Deus operar; já não podia ser o mesmo homem. Em 1918 ainda estava em plena atividade na Birmânia, como missionário.

O senhor Wherry, diretor da Escola Preparatória Cristã, que os presbiterianos mantinham em Ludiana, dava por quase terminados os trabalhos de 1904. As férias aproximavam-se e no ano seguinte Fife viria substituí-lo, de modo que tratava de deixar tudo em ordem, para facilitar o trabalho ao colega.

Por isso não ouviu com agrado a notícia de que à porta havia um adolescente hindu, talvez candidato à matrícula. Em todo o caso, mandou-o entrar, disposto a examinar pessoalmente o assunto: não costumava negar oportunidades.

O jovem entrou. Vinha de Ropur, a conselho do pastor da aldeia. E narrou a sua história.

Uma hora depois o regente do Internato indicava-lhe a cama que devia ocupar.

Desde logo se sentiu isolado entre os colegas filhos de pais cristãos, livres das lutas que ele conhecia, os rapazes pouco se preocupavam com problemas espirituais, limitando-se a absorver passivamente o ensino e os costumes religiosos. O novato era entre eles uma peça grande demais na engrenagem: incomodava e chamava a atenção. Não queria jogar críquete, não queria praticar atletismo, não queria ir a reuniões sociais, não queria participar da prosa ligeira e nem sempre limpa dos recreios. Queria apenas permanecer no quarto ou sob as árvores da quinta, com aquele eterno Novo Testamento na mão.

A diretoria protegia-o, levava-o para a sua mesa ao almoço; o senhor Wherry – e depois também o senhor Fife – fechavam-se com ele no escritório em longas palestras.

Um dia, ao sair do dormitório, uma maçã podre espatifou-se no seu rosto, acompanhada da vaia dos colegas. Limpou-se e afastou-se, admirado. Por que um tal trato? Não eram todos cristãos?

Ele próprio estava perplexo com o cristianismo. Os seus colegas cristãos vestiam-se como ingleses; diariamente iam à sala de cultos, assentavam-se pomposamente nos bancos escuros para ouvir a prédica formalizada do professor; cantavam hinos cuja música os ouvidos indianos de Sundar não conseguiam assimilar; falavam inglês, de preferência ao hindustani.

Pois então tinham de arrancar a pele para ser cristãos? A mudança não devia ser do coração? Por que abandonavam os seus trajos nacionais? Muitos nem turbante usavam. Por que não arredavam aqueles bancos incômodos e não se assentavam no chão, como na Gurdvara? O pregador devia descer do púlpito e vir para o meio deles palestrar informalmente, como os sacerdotes e os sadus. Cantariam hinos com modulações indianas... Não podia entender bem aquele cristianismo inglesado.

Os horários comprimiam-no; perdia aulas, absorto na leitura Bíblica.

Tomava, de preferência, os textos do Evangelho de João referentes ao amor de Deus. Lia-os atentamente, procurando entender bem o sentido. Assim concentrada, sua alma era como a lente que reúne em lugar determinado muitos raios do sol; e esses raios concentrados davam-lhe luz e calor.

Tinha de exercer sobre si mesmo constante vigilância, pois logo verificou que com a conversão não perdera o temperamento arrebatado e voluntarioso. Foi uma luta sem tréguas, onde cada vitória custava dias de oração e meditação. Tratava com brandura os colegas e afinal captou-lhes a amizade.

Mas decididamente não fora feito para seguir regulamentos escolares. Escandalizava os professores com a tranqüila desobediência de regras para eles sagradas. Haja vista o caso de Doraha: Juntamente com outros alunos tinha sido enviado a Ambala, nas férias de Verão. Quando regressavam, lembrou-se de visitar parentes, em Doraha, e displicentemente abandonou o comboio e sem dar satisfação a quem quer que fosse, para reaparecer, dias mais tarde, em Ludiana com o mais inocente dos semblantes.

Os diretores afligiam-se com essa independência; nunca podiam prever os atos de Sundar Singh. Depois, o pai e os irmãos já rondavam a escola, havendo mesmo tentado um dia raptá-lo. O melhor seria mandar o moço para mais longe, ao menos durante algum tempo. A tranqüilidade da Missão Médica Americana de Sabatu talvez fosse melhor para o seu temperamento.

Foi, de fato, muitíssimo melhor.

Trinta e sete quilômetros além de Simla, Sabatu é uma aldeola montanhosa, quieta e fresca, rodeada de cheirosas florestas de pinheiros cujas clareiras deixam a ver a distância os cumes esbranquiçados da neve eterna.

Sundar passava os dias na floresta ou no seu quarto, meditando e orando. A sua vida ligava-se cada vez mais a Cristo, à medida que o conhecia melhor.

Os missionários tratavam-no com simpatia, continuando a obra dos colegas de Rampur e Ludiana. Embora intensamente indiano, Sundar estimava-os profundamente. Via em sua vida um perfume evangélico, uma aura refrigerante de idealismo, vindos talvez do desejo quase ingênuo de dar, de fazer bem, que orientava os seus atos. Tempos mais tarde a torrente de gratidão que durante anos se acumulara na sua alma transbordou. Foi na Inglaterra. Um missionário seu amigo levou-o a visitar o velho pai. Embora não fosse dado a dramatismos, Sundar Singh não se conteve ao ver o ancião: ajoelhou-se, beijou-lhe os pés e ardentemente lhe agradeceu haver dado o seu filho à Índia como pregador.

Desde que se convertera desejava sempre receber o batismo. Afinal pôde voltar a Simla, a tumultuosa capital do Norte, onde refervem as espumas da espionagem e da contra-espionagem fronteiriça, e ali foi batizado, a três de setembro de 1905, pelo pastor J. Redman, da Igreja Anglicana.

Completava nesse dia dezesseis anos. Atingira, portanto, a maioridade, segundo o costume hindu.

5
Sadu Sundar Singh

Um jovem hindu deserdado e sem casta, maldito no lar dos seus pais e na aldeia em que nascera, caminhava pela estrada que de Simla se dirige a Sabatu, com a alma inundada de alegria. Paradoxal alegria, à qual já se mesclava preocupação gravíssima: se o batismo lhe resolvera os problemas espirituais, selando definitivamente a sua consagração a Cristo, não lhe dava contudo orientação sobre o rumo a imprimir à vida. Não lhe seria possível continuar a viver da boa vontade dos missionários. Que faria?

Todas as suas forças e tendências dirigiam-se para um rumo: a pregação do Evangelho. Precisava remir o tempo perdido, desfazer os males que causara aos pregadores de Rampur. Mas, pregar como? Passar anos encerrado no Seminário, receber lições de Teologia, de Grego, de Latim, assimilar por processo exaustivo e mecânico a piedade de outros homens; pastorear depois uma igreja, viver preso à paróquia e aos seus pequeninos problemas gerados pela eterna mesquinhez do homem; esgotar-se nas intermináveis e nem sempre edificantes discussões e atitudes de Concílio, para depois, e uma vez mais, afundar-se no lago parado da rotina paroquial? Fazer cuidadosas distinções dogmáticas, demonstrar onde estava o erro dos presbiterianos, onde o dos metodistas e afirmar vitoriosa e invariavelmente que o Caminho, a Verdade e a Vida residiam no seio da Igreja da Inglaterra, que o batizara? E a qual dentre as correntes que nela se digladiavam haveria ele de se filiar?

Engolfado em tais pensamentos, à sombra fresca dos pinhais de Sabatu, os seus olhos caíam muitas vezes nas neves que davam fundo à paisagem. O Himalaia! As águas que ali nasciam, na neve permanente, rasgavam na pedra da montanha o leito por onde corriam. Dispensavam concurso humano. Conseguisse ele manter sempre a íntima união com Cristo que agora possuía e poderia dispensar a organização eclesiástica e os canais com que ela orientava o rumo da piedade dos fiéis. Mesmo porque a europeização da Índia era ingrata tarefa que a Igreja Evangélica Indiana parecia apostada em levar a cabo – e isto lhe repugnava. Fortes laços emocionais prendiam-no à terra onde repousava sua mãe, e aos costumes da infância. Não se convertera à civilização ocidental, mas ao Cristo Universal.

"Um dia eu vi, na Rajputana, um brâmane de alta casta que corria para a estação. O calor era tanto que, ao atingir a plataforma, caiu. O chefe da estação era anglo-hindu; desejoso de auxiliá-lo, trouxe uma chávena branca com água. Percebia-se que o homem estava sedento, mas não quis beber. 'Não posso tomar água aí; prefiro morrer'."

– Mas ninguém lhe pede que beba a chávena – observou alguém. – Tome a água.

– Nunca hei-de desrespeitar as regras da minha casta. Antes a morte.

Quando trouxeram água na vasilha de cobre, bebeu sofregamente.

Dá-se o mesmo com a Água Viva. Os hindus precisam dela, mas dispensavam a "chávena européia".

Mas como criar uma vasilha hindu para a nova bebida? Nova? Não! Era a bebida eterna! As formas de devoção da Índia buscavam-na, tateantes e desesperadas. Bastava tomar a melhor dessas formas de devoção e enchê-la do líquido cristalino e refrigerante.

Trinta e três dias após o batismo, vendeu como pôde os escassos objetos que possuía, comprou na aldeia a roupa amarela de sadu, envergou-a e, descalço, levando numa das mãos o Novo Testamento em urdu, tomou o rumo do Sul.

Seria, desse dia em diante, o Sadu.

Sadu, palavra sânscrita que significa *reto,* adotada para designar uma classe especial de religiosos veio a ter o sentido de *puro, santo.* É quem se consagra inteiramente à religião, abandonando para sempre qualquer veleidade mundana. Não são raros na Índia exemplos de homens que, após cumprirem o que lhes parecia missão terrena – criar os filhos, servir o país – abandonam famílias, bens, cargos e desaparecem no recesso de uma montanha, onde passam a habitar em qualquer gruta, imersos em meditação. O Purun Baghat, de Kipling, é real. São os saniasis. O que talvez os poderia distinguir dos sadus é o fato de ser toda a vida dos últimos consagrados à religião e não apenas a sua parte final.

Vestidos com a roupa cor de açafrão que tão facilmente se distingue, caminham, regra geral, descalços, sem pouso fixo. Nas aldeias e nas cidades todos têm prazer em dar-lhes uma escudela de comida, um leito de palhas, uma hora de palestra. Seus conselhos são respeitados, suas maldições temidas. O viajante que percorrer as margens dos rios sagrados freqüentemente encontrará esses santos imersos em meditação ou ocupados em flagelar-se pelos mais engenhosos processos, ou rezando com monotonia.

Tão intimamente relacionada com o paganismo hindu estava a vida do sadu, que era necessário mais que simples originalidade para adotá-la e pregar o cristianismo. A Igreja receberia tal idéia com escândalo e desagrado; e os mesmos indianos que o acolhessem, ao verificarem que o Santo Homem era apenas um maldito cristão de casaca amarela, possivelmente vingar-se-iam ferozmente do logro.

Mas Sundar Singh não estava à procura de um artifício: queria ser sadu e não apenas vestir-se de sadu. Possuiria a mentalidade de sadu, com alma de cristão.

Dias depois penetrava em Rampur. Junto ao velho bazar que o vira apedrejando pregadores, cantou com voz vibrante um hino cristão. E quando o povo, curioso, se aglomerou, contou-lhes a transformação que se operara na sua vida. Por que não se faziam eles também cristãos? Por que não liam a Bíblia? Jesus Cristo estava vivo, e era Deus! O único Deus!

Deixaram-no em paz. Alguns intrigados, outros impressionados. Um deles foi chamar Sher Singh, mas quando este chegou já o filho desaparecera, rumo à aldeia seguinte.

Na estrada poeirenta e ardente o sadar apenas distinguiu as marcas dos pés descalços do seu filho. Era fácil conhecê-las, porque estranhos sinais escuros as identificavam, no labirinto de pegadas impressas no pó. Olhou com cuidado: os pés de Sundar Singh sangravam. Lá estava o rastro negro, a denunciá-lo. Esses pés afeitos à carícia de tapetes caros...

Pensativo, Sher Singh voltou ao casarão, onde vivia solitário como um homem órfão da própria alma.

6
Sua Primeira Viagem

Exausto e suarento, o jovem sadu entrou na aldeia, deixando no ar, junto à terra, tênue camada de poeira erguida pelos pés descalços e feridos.

Sentou-se na pedra-do-contador-de-histórias e observou com os grandes olhos negros, tímidos e profundos, onde morava uma bondade inexprimível, a azáfama do dia que terminava. Regressava o gado do campo, transpondo com ruído o portão de acesso ao lugarejo; rudes lavradores voltavam também dos campos de arroz, com ferramentas ao ombro. As mulheres terminavam, nas choças devassáveis palas portas abertas, a refeição da tarde, e uma tristeza morna e penetrante invadia o ambiente.

Mais tarde aproximou-se timidamente uma mulher, com o filhinho nos braços, e pediu ao Santo Homem que abençoasse o filho do seu marido. E, enquanto o sadu acarinhava delicadamente o rosto da criança, outras mulheres aproximavam-se com os filhos pela mão; homens curiosos, afetando superioridade, disfarçadamente tomavam lugar junto à pedra, e a vaca sagrada de Siva, farta e autosuficiente, detinha-se mirando o ajuntamento com seus grandes olhos úmidos e expressivos.

O Sadu ergueu-se; trazia na mão um livrinho preto. Teria muito poder aquele livro? Seria capaz de curar o cavalo de Fulano? Que iria fazer o Santo Homem?

Começou a entoar, com má voz, uma cantiga que lhes parecia vagamente conhecida. Destoava, nos lábios de um Santo. "Jesus Cristo"? Não era o deus dos ingleses? De que terra vinha esse sadu que falava em Jesus Cristo? Que significava aquilo? As sobrancelhas do sacerdote cerravam-se, quando, com firmeza o rapaz – não devia ter mais de 17 anos, e era bem franzino – começou a dizer que Jesus Cristo, cuja história vinha naquele livro chamado Novo Testamento, era o Grande e Verdadeiro Deus; que os pecados do homem eram lavados pelo sangue de Jesus Cristo. Aquilo cheirava a blasfêmia. Toda gente sabia que as águas do Rio Sagrado é que purificavam.

Aproximou-se um funcionário hindu que observava a cena de longe, curioso.

Um zunzum principiou a formar-se entre os homens. Um deles, mais atrevido, comentou em voz alta:

– Bah! Cristão disfarçado de sadu!

Era Kripa Ram, bem conhecido na aldeia pela truculência. O sussurro continuou e engrossou. Afinal Kripa Ram abriu caminho aos empurrões e, aproximando-se do falso sadu, deu-lhe uma bofetada. Sua mão pesava como ferro e o mocinho caiu. Gargalhadas. Levantou-se, empoeirado, com o rosto e uma das mãos sangrando. Alguns dentre o povo começaram a retirar-se discretamente. Cristão ou indiano, o homem veste-se de sadu, e ninguém sabe se as suas maldições serão ouvidas pelos deuses; – um sadu ofendido sabe amaldiçoar cientificamente o ofensor desde os cabelos da cabeça até as unhas dos pés. Mas o estranho santo canta outro hino. Ao terminá-lo, faz uma oração que pede aos seus deuses – e entre eles a esse Jesus Cristo – que perdoem ao povo da aldeia as suas ofensas e que não castiguem o seu ofensor.

Ressabiado, Kripa Ram retira-se. Um dos homens presentes, com longas e imaginosas desculpas a respeito da sua pobreza, pede ao sadu que honre a sua indigna residência dormindo num dos quartos. Para lá se dirigem, reiniciando-se a palestra à luz tosca do fogo. Ao recolher-se, o jovem sadu ajoelha-se e mergulha em oração: "Senhor, bendito sejas pelas alegrias dos dias passados e pelos sofrimentos de hoje. A bem-aventurança do Céu torna-se mais real para mim quando carrego a tua cruz. Só depois que sofri é que vim a conhecer a alegria real".

Os lábios movem-se rapidamente. Passam-se os minutos, uma hora, outra. Afinal, deita-se na esteira e adormece.

A madrugada não cobrira ainda o céu, quando a vida voltou à casa pobre que o abrigara. Curioso, o hospedeiro espreitou pela janela do quarto. Tudo em ordem. Mas o estranho sadu cristão desaparecera.

Meses mais tarde um jornal cristão da Índia transmitia o dramático apelo de um Kripa Ram, que acabava de abraçar o cristianismo e desejava ser batizado "por aquela mão ferida".

Assim atravessou Sundar Singh o Punjab pela primeira vez, até atingir os ásperos contrafortes das montanhas de Caxemira. Vadeou torrentes bravias, venceu florestas, viveu com pastores em cabanas imundas, cruzou o Beluquistão, pela primeira vez na sua vida internou-se na terra dos tão falados guerreiros afegãos e atingiu Jalalabad.

Vale a pena recordar a sua aventura nessa cidade.

Depois de observar com olhos curiosos as velhas ruas tortuosas e malsãs onde pululava uma humanidade mal encarada, armada até os dentes, e onde trotavam cavalicoques ligeiros e nervosos, mirados com olhar avaliador pelos mercadores e longas unhas tarjadas de preto, escolheu um ponto de bom movimento, cantou um dos seus hinos – aquela voz desafinada teria de ser ouvida em toda a Ásia? – e iniciou a palestra com os curiosos que logo se aglomeraram para ouvi-lo. A princípio trataram-no com cautelosa deferência, mas à medida que ele falava as fisionomias se anuviavam; afinal, vociferando, um dos ouvintes retirou-se; os demais não tardaram em segui-lo. Cansado, o sadu sentou-se a um canto e caiu em meditação. Quando voltou ao mundo exterior, alguém lhe puxava violentamente as vestes; voltou-se e deu com uma cara medrosa cujos olhos não cessavam de vigiar os lados.

– Santo Homem, fuja, que uns patans (afegãos) resolveram matá-lo hoje. E não deixe de se lembrar em suas orações do filho do meu pai.

Mal sussurrou essas palavras, esgueirou-se pelo beco. O sadu ergueu-se; olhou em redor de si e verificou que o lugar seria ideal para um crime. Caminhou perdido na cidade que se recolhia para resistir a uma noite de gelo, até que encontrou o serai (pouso de caravanas) onde se misturou com homens, animais e mosquitos, disposto a suportar todos os maus odores do universo. O sol desaparecera. Pouco a pouco foram-se apagando as escassas fogueiras do serai e os viajantes recolheram-se às barracas ou aos cantos onde tinham ajuntado palhas para dormir. Aconchegavam-se aos cobertores grossos, geralmente reforçados pela capa de viagem. Só, o sadu limpou na escuridão um canto do sarai e deitou-se na terra úmida. Haviam desaparecido as nuvens e o céu brilhava na cintilação fria das estrelas. Contra ele se recortou a silhueta de um grupo de homens que avançavam indecisos, tateando na escuridão e falando em voz baixa. Afinal atingiram o ponto em que o sadu tiritava, com a roupa já molhada pelo chão úmido. Recuaram, discutiram rapidamente, e retiraram-se.

Noite de horas imensas. O frio penetrava os ossos. Era como se o próprio sangue estivesse gelado, e circulasse pelas veias levando a todo o corpo um arrepio de morte. Afinal, o céu começou a acinzelar-se e o movimento do serai ressurgiu. Sundar Singh ergueu-se. A roupa estava molhada, os dedos duros, os lábios roxos. Ajuntou gravetos e acendeu pequena fogueira para readquirir o calor e enxugar-se.Nisto surgiram os patans. Passadas largas de valentões. Foram ao ponto em que ele havia dormido, voltaram-se um tanto confusos e deram com o cão infiel que, de cócoras, se aquentava. O riso que traziam congelou-se, transformando-se em expressão quase cómica de espanto. Conferenciaram excitadamente, enquanto o sadu aguardava ansioso e com um arrepio e sentença final de morte. Afinal um deles – o chefe, pelos modos – avançou sozinho e, para surpresa do moço, ajoelhou-se e beijou-lhe os pés, antes que ele pudesse fazer qualquer movimento. E explicou-se:

Quando verificaram que ele pertencia à maldita religião cristã, resolveram matá-lo, e para isso o acompanharam pela cidade, aguardando o melhor momento; ao verem que ia dormir no serai, completamente desabrigado, dispersaram-se. Sabiam que uma noite como a que iam ter mataria homens mais fortes. Não podiam agora compreender como estava ainda vivo e lesto, com forças para fazer fogo; o seu rosto dava a impressão de que ele havia passado uma noite deliciosa, no leito de penas de palácio real. A única explicação possível era que Alá o tinha em sua bendita proteção. Poderia o saduji fazer-lhes o obséquio de aceitar a hospitalidade magra e pobre que lhe ofereciam e repetir-lhes as palavras de sabedoria que tinham ouvido na tarde anterior?

Uma semana se passou. Pregava diariamente a assistência cada dia mais numerosas. Mas não desejava fixar morada em cidade alguma. Era um sadu peregrino. Reiniciou a viagem.

Cruzou o Indus, viu novamente as planícies onde os arrozais se estendem sem fim, penetrou em Patiala, reconfortou-se com as paisagens familiares de um passado tranqüilo que se encontrava a um século de distância (havia um ano que era sadu) e foi deter-se em kotgar.

Um ano de trabalho. Do menino débil que não suportava 12 quilômetros diários sob o sol, já não havia nele a mais leve lembrança. Era um moço de músculos elásticos e rijos, organismo endurecido na escalada de montanhas, na luta contra torrentes e nas viagens infindáveis da planície, ao sol e à chuva. Nos olhos tão expressivos havia uma chama ardente.

Kotgar dista de Simpla 90 quilômetros, está a 1980 metros acima do mar e é um lugarejo tosco, rodeado de altos pinheiros, com algumas dezenas de casas que se amontoam em torno da torre da igreja evangélica. O longo telhado do hospital da missão é uma ferida aberta na vegetação que cobre tudo com o seu verde exuberante. De uma das suas ruas sai a estradinha maltrada que, mergulhando no bosque, tropeçando em troncos seculares, fugindo a regatos, vai afinal morrer na Estrada Indostão-Tibete, num ponto escarpado onde os pinheiros erguem para o céu os seus galhos de pontas ásperas.

Quem se detiver nesse entroncamento modesto e se voltar para os lados da aldeia serrana avistará pelas clareiras da mata os vales cultivados ou a areia clara e serpejante do leito do Sutlej, tão pequeninos a distância que chegam a parecer paisagem de sonho. Se erguer os olhos esbarra com a brancura dos cumes do Himalaia, que cerra o caminho do Tibete.

Em Kotgar residia o velho pastor Betuel, junto da igreja. Acolheu com prazer o jovem e hospedou-o. Mais tarde o doutor Jukes também se fixou na aldeia. A sua casa, na colina, era constantemente procurada pelos camponeses dos arredores que tinham doença em casa ou que, apanhados pela nevasca e derrubados, haviam sido recolhidos por mãos compassivas ao hospital.

Kotgar tornou-se para Sundar Singh ponto de partida e ponto final de jornada, desde esse dia.

Os amigos habituaram-se ao seu temperamento original e nada lhe perguntavam quando, repentinamente, ele abandonava a sala onde o fogo crepitava na lareira, e mergulhava no bosque branco de neve. Às vezes voltava, horas depois – outras vezes ficava dias fora, orando e meditando.

É muito possível que nesses passeios pelo bosque de pinheiros, ao atingir a estrada do Tibete, se detivesse a contemplar a linha tortuosa que se agarrava à montanha, que a cingia, e enleava, e afinal se perdia além, no misterioso Bothyal, onde a pregação cristã jamais encontrara lugar onde apoiasse os pés.

7
Samuel Stokes

Stokes não saberia explicar o que se passava. Iniciava-se um século, seus negócios progrediam firmemente, sua fortuna assegurava-lhe vida tranqüila – e uma inquietude inexplicável o dominava havia meses.

Levantou-se e cruzou o escritório nervosamente, resmungando. Deteve-se junto à estante e correu os olhos distraídos pelos livros de sua predileção.

"Vida de São Francisco de Assis?" De onde teria vindo aquilo? Dele não era; curioso, retirou o volume e folheou-o. Correu os olhos superficialmente por uma página, deteve-se, voltou-a para acompanhar a narrativa e afinal foi sentar-se de novo, agarrado ao livro.

Quando se levantou, horas depois, era outro homem: havia encontrado o que lhe faltava – um ideal. Consagrar-se-ia ao seu semelhante, como o "povorello" de Assis, mas integralmente, incondicionalmente, como aquele santo. Onde haveria, no mundo dos seus dias, maior soma de sofrimento humano? Onde? Obscuramente lembrava-se de países exóticos, populações miseráveis, um continente onde a lepra, a peste e a tuberculose devoravam a vida humana implacavelmente. Índia! Valia a pena fundar uma ordem monástica de sentido evangélico, semelhante à de Francisco e consagrar-se à Índia.

Abandonou riqueza e família, embarcou para a Índia e foi fixar-se perto de Kotgar. Em Sabatu havia um leprosário, e em Lahore um campo de pestosos. Passou a viver para eles, dedicando o pouco tempo que lhe restava a viagens evangelísticas.

No Verão de 1906 desceu até Kotgar e em casa de Betuel travou conhecimento com um sadu que já fizera uma digressão evangelística pelo Punjab, havendo atingido o Afeganistão. Esse jovem sofrera horrivelmente, chegando mesmo a ser preso. Contudo, sentia-se que, ao narrar os seus sofrimentos, uma alegria estranha e incompreensível o dominava. Parecia até que tinha prazer em sofrer quando pregava. Estranho rapaz. Convidou-o para pregar no leprosário e o convite foi imediatamente aceito. Desde então, não se largaram, durante três meses, findos os quais Stokes convidou o sadu para a "Irmandade da Imitação". O sadu era de uma independência pessoal absoluta e não quis submeter-se às regras da irmandade, embora possuísse o espírito de verdadeiro imitador de Cristo. Regressou a Kotgar e Stokes continuou o seu trabalho.

No Verão seguinte reapareceu-lhe o hindu, sugerindo um acampamento para crianças aleijadas, perto de Kotgar. Aceitou a proposta, organizaram o acampamento e daí por diante passaram a repeti-lo cada Verão.

Anos mais tarde Stokes regressou rapidamente aos Estados Unidos. Mas a lembrança da Índia obcecava-o. Velhos incidentes voltavam à tona:

"Estávamos no interior, para onde avançáramos algumas centenas de quilômetros, e atravessávamos uma região extremamente insalubre. Sundar Singh foi atacado pela febre durante vários dias; além disso, padecia de indigestão aguda. Afinal, numa noite da nossa penosa caminhada, piorou tanto que não conseguiu prosseguir e caiu desmaiado. A estrada atravessava a montanha, e ao lado havia uma pequena saliência. Arrastei-o para lá, tendo cuidado para que a cabeça ficasse mais alta que os pés. Agitavam-no os calafrios que precedem o acesso de febre, e as pontadas no estômago faziam contrair o seu rosto. Eu não sabia que fazer, porquanto nos encontrávamos isolados e sós e viajávamos a pé. O frio era intenso. Aproximei os lábios do seu ouvido e perguntei-lhe como se sentia. Estava certo de que não ouviria queixas, mas nunca esperaria a resposta que deu. Abriu os olhos; um dolorido sorriso coloriu-lhe o rosto e com voz quase imperceptível respondeu:

"– Sinto-me feliz! Como é bom sofrer por Ele!"

Dias depois Stokes regressava à Índia.

Em 1908 o sadu fez a sua primeira viagem ao Tibete. Desde então passou a percorrer o Punjab nos meses frios, consagrando o verão àquela terra. Considerava-a seu campo, sua paróquia, e a ela consagrou a vida de maneira toda particular.

8
Bothyal

Comprimido entre montanhas – Himalaia, Caracorum, Cuen-Lun – é o Tibete um país quase desconhecido dos ocidentais. Sua extensão não está definida com precisão, visto que ao Norte não se sabe quando termina o *Bhot* para dar lugar ao Sinkiang; quanto ao número de tibetanos, geógrafos têm-no calculado em dois milhões, e outros em seis milhões, o que dá idéia da dificuldade de estudar o assunto com exatidão.

A barreira do Himalaia, que o separa da Índia, dá feição à região onde o Sadu iniciou os seus dias de apostolado tibetano. Ásperas rochas polidas pela mais persistente das neves, picos erguidos contra o céu, envoltos em nuvens, cobertos de gelo; florestas matizadas de ciprestes e coníferas, vales fundos, alguns dos quais cultiváveis; aldeias misérrimas de pastores, que se agarram à montanha com pertinácia férrea, as quais detrás das suas tendas de couro de Iaque espreitam os abismos – "ninhos de andorinha no beiral do mundo", como disse o poeta inglês.

Além, encontra-se o planalto, semeado de escassas cidades e aldeias, colorido por vegetação baixa e maltratada, rasgado pelos servos que lavram a terra sem esperança de poder um dia abandoná-la ou mudar de sorte, porque o regime econômico é medieval. De longe em longe a mansão senhorial de um nobre que teve entre os antepassados um dalai-lama ou, o que é mais raro, descendente da velha linha real tibetana que deu lugar aos Reis-Monges. Edificação de mais de um pavimento, sólida nas suas paredes de pedra lavrada, teto chato e dasgracioso. Atrás e dos lados os estábulos e casas de servos. Em alguns pontos ainda há escravos – felicidade, aliás, pois são geralmente mais bem tratados que os servos da gleba, nominalmente livres.

Esparsas, as choças de pedras dos camponeses, cobertas de barro ou de folhas, velhíssimas e imundas, agarradas ao solo como parasitas.

Nas cidades acotovelam-se os comerciantes com caravanas de burricos que vão para o Norte levando couros e lã e retornam carregados de sal dos grandes lagos. Nas gargantas que o Himalaia abre para dar passagem ao tráfego não é raro ver um rebanho de carneiros carregados – a firmeza de pés transforma-os em animais de carga. Os mercadores descem à Índia à procura de produtos manufaturados. Levam o ouro que as correntes tibetanas sempre trazem no seu seio, ou couros.

Não é raro erguer-se isolado, nas planícies, um mosteiro onde os lamas lêem ou ouvem ler os livros sagrados, correm beatificamente as contas dos rosários ou giram a roda de rezas – sistema original de industrialização da prece. Cada família é obrigada a consagrar à religião ao menos um dos seus filhos varões, o que torna inacreditável a proporção de monges no país. Um mosteiro, nas proximidades de Lhasa, tem seis mil. Junto de cada cidade é certo encontrar-se uma Lamaria, e cada povoado é governado por um lama ao menos, acolitado pelo secretário que, no governo supremo, junto ao dalai-lama, faz as vezes de primeiro-ministro.

O sistema monástico caracteriza o budismo tibetano – e garante-lhe o poder tremendo que possui no país, onde suplantou a religião original e, mesmo, tornou-se mais forte que na Índia, onde nascera. A unidade política do lamaísmo tem como norma única a autoridade crescente do tashi-lama, abade do mosteiro de Shingatze, que hoje governa quase tanto como o próprio dalai-lama. Embora conserve inalterada a unidade política, o lamaísmo está minado de cisões doutrinárias que, no correr dos anos, têm formado seitas no interior do corpo.

Há algumas centenas de anos era relativamente fácil penetrar no Bhot – nome que lhe dão os hindus – e travar conhecimento com os desconfiados botias, baixotes e escuros, que o povoam. Alguns viajantes e frades atingiram Lhasa e lá permaneceram algum tempo. O furacão das invasões e incursões guerreiras dos mongóis, que assolou o Império Romano e a Rússia Medieval, que se voltou para a China e penetrou na Índia, deixou sempre indemne o tabuleiro tibetano, graças à cinta agressiva de montanhas que o defende. Isto tornava os habitantes menos desconfiados de visitas estrangeiras. Mas vindo o domínio chinês, e com ele cessou a liberdade. Acresce que um oráculo budista julgou oportuno predizer que a autoridade dos Lamas seria quebrada por uma incursão estrangeira – o que tornou a pregação de qualquer religião estranha ao budismo o crime dos crimes.

De qualquer maneira, vários exploradores levados pelo espírito de aventura suportaram proibições e tentaram viajar pelo país – inutilmente, porque foram detidos e expulsos de novo, havendo dois sido mortos. O único liame do Tibete com o mundo exterior eram suas relações com a China e, mais débeis, com os ingleses da Índia. Esses senhores do governo hindu enviaram agentes para explorar a terra. Um deles, por exemplo, transformou-se no mais perfeito tibetano, fiel em tudo ao dalai-lama – homem de piedade tão absoluta que não abandonava por coisa alguma deste mundo o rosário, que desfiava incessantemente ao caminhar – e cada conta marcava uma passada, porque os ingleses sempre amaram a precisão nos relatórios dos seus agentes. Girava também, estático, a caixa de rezas – onde guardava o papel em que, cada noite, anotava os incidentes da viagem e tudo o que lhe parecia de particular interesse. Assim, atingiu Lhasa, estudou o maciço palácio dos Lamas – o Potiala; ouviu as intrigas dos mosteiros, palestrou com romeiros que diariamente chegavam ou saíam.

Ali viveu mais de um ano e depois regressou à Índia. Vale a pena observar que esse agente bravo, astuto e hábil era sik.

As missões evangélicas tentaram várias vezes penetrar na terra selada, mas nunca o conseguiram senão incidentalmente; não foi possível criar uma estação missionária. Os morávios lograram, como única solução, no momento, manter-se em Poo-i, na fronteira. Dali pregavam aos mercadores que desciam ao Punjab ou que regressavam de lá.

Para termos melhor idéia do campo que o Sadu elegeu especialmente como sua paróquia, convém que travemos conhecimento com um pregador que o antecedeu.

***

A história de Kartar Singh apresenta notáveis pontos de semelhança com a do sadu. Filho de pais ricos, nascido no Estado de Patiala, tentado de todas as formas pelos parentes quando se converteu, foi afinal expulso de casa e dedicou-se à vida de pregador itinerante.

Após uma série de viagens pelo Norte da Índia, iniciou a travessia da montanhosa fronteira tibetana.

Foi mal recebido. Em Tsingham a populaça arrastou-o ao palácio do lama local, acusando-o de penetrar ilegalmente no país e de contrabandear religião estrangeira. Ora, os lamas são gente de consciência extremamente delicada. Delicada a ponto de não admitirem que se mate um homem nem mesmo no cumprimento da sentença legal. Pena de morte seria homicídio. Mas, por outro lado, têm tão grande amor à ortodoxia que jamais tolerariam a existência de uma alma danada a semear heresia entre as suas ovelhas. E como, para tornar mais complicada a sua situação moral, não lhes restava aquele notável recurso de entregar o criminoso ao "braço secular" – porque o "braço secular" são eles próprios – o único remédio que podiam dar à situação era permitir a morte espontânea do réu. Tinham vários e engenhosos processos para atingir esse objetivo.

Com Kartar Singh empregaram um dos mais simples: despiram-no na praça, entre os rugidos da multidão, costuraram-no dentro de uma pele úmida de iaque e expulseram-no ao sol. À medida que secava, o couro se encolhia, comprimindo o corpo. Estalavam os ossos. Ao lado do fardo sinistro que se retorcia estava caído um livrinho de capa preta – um Novo Testamento.

E ali morreu Kartar Singh.

Observava a cena com olhos de conhecedor o secretário do lama. Em dado momento reparou no livrinho e, curioso, foi erguê-lo. Guardou-o para exame posterior, porque a morte de Kartar Singh o impressionara mais do que gostaria de confessar, e desejava conhecer a religião que o inspirara a suportar com tanta doçura o martírio. A leitura da vida de Cristo, ilustrada pelos acontecimentos dos últimos dias, venceu-lhe o coração. Após algumas semanas de luta decidiu-se e foi dizer ao lama que se fizera cristão.

A morte do hindu tinha sido muito suave – por isso é que já havia quem quisesse acompanhá-lo. Mas o lama resolveu dar, na pessoa do seu secretário, um exemplo definitivo que escarmentasse o povo.

Meteram-no no couro úmido, que costuraram. Mas esse couro estava furado em vários pontos, e as mãos ficaram para fora. Nos orifícios metiam, de tempos em tempos, um ferro em brasa, que ia chiar na carne do cristão. Ainda havia na praça o cheiro de carne queimada quando deram início àquele célebre suplício de meter lascas de madeira sob as unhas, a golpes de martelo.

A morte custava. Afinal, impacientes, os esbirros do lama descosturaram o couro, prenderam a uma corda os pulsos do prisioneiro e, acompanhados pela massa ululante, dispararam pelas ruas tortuosas, indo deter-se junto ao mal cheiroso monte de lixo, onde atiraram o corpo sangrento, vivo, mas inconsciente.

Nunca soube como conseguiu, ao voltar a si, arrastar-se para a casa de um amigo, onde se ocultou até restabelecer-se.

Quando narrava ao sadu a sua história e a história de Kartar Singh, seus lábios tremiam.

E quando o sadu, de regresso à Índia, foi contar ao velho pai de Kartar Singh o martírio do filho a quem ele expulsara como renegado, o ancião, comovido, só pôde responder que "eu também sou crente em Cristo".

***

Em Poo-i dois irmãos morávios acolheram o sadu adolescente, alto e forte, de olhos mansos e profundos, de quem já tinham ouvido falar algumas vezes. Deram-lhe a hospitalidade tosca e pobre que o lugarejo agreste permitia e ouviram com atenção e entusiasmo a declaração por ele feita de que pretendia dedicar-se à evangelização do Tibete. Estava com 19 anos.

Ia tentar a invasão de uma terra onde nunca estivera, cuja língua ignorava e cujos habitantes não o conheciam. Ficou uma semana em Poo-i, iniciando o aprendizado da língua tibetana e depois, acompanhado por um trabalhador da missão que continuaria o ensino, tomou o trilho áspero que serpeava para o Passo de Hoti e era conhecido como "Rota do Peregrino".

Tomou o leite e comeu o queijo que lhe ofereceram os pastores das aldeias montanhosas - em muitas das quais se praticava a poliandria, e longamente conversou com eles a respeito da religião de Cristo. Atingiu o planalto, entrou nas aldeias, pregou ao povo que se reunia nas praças ao entardecer para a oração coletiva e ficou conhecendo bem o que significava ser expulso consecutivamente de cada ponto onde iniciava a pregação.

Lá continuou, de cabana em cabana, de aldeia em aldeia, até atingir a cidade de Tashigang, onde o ritmo, que se fazia monótono, de pregação e expulsão, foi quebrado. O lama local recebeu-o com amizade, reuniu o povo para ouvi-lo, agasalhou-o dos rigores do tempo e deu-lhe carta de recomendação para um amigo de outra cidade.

Foi na cidade de Rasar que o jovem pregador travou melhor conhecimento com a natureza perversa dos tibetanos - e com o poder de Cristo.

Ao começar a pregação alguém, na multidão, gritou que o Santo Homem queria mudar a religião deles e que não passava de disfarce a roupa que vestia. O resmungo e os empurrões se avolumaram e cobriam-lhe a voz.

Afinal, aos encontrões, empurraram-no para a casa do lama. Interrogado, expôs a que vinha. Quando tentou recomeçar a prédica, o lama, com um gesto feroz, pronunciou sentença condenatória e a multidão arrastou-o para o local da execução. No caminho, entre ameaças e insultos, um budista mais exaltado deu-lhe uma cacetada que apanhou o braço, inutilizando-o temporariamente.

Detiveram-no junto de um poço seco que abria para o céu uma boca ameaçadora e fúnebre. Um cheiro nauseante exalava do seu interior: cheiro de carne podre. Despiram o sadu e atiraram-no para o interior da lôbrega escavação. Levantou-se, na escuridão, e seus pés escorregaram numa coisa macia e repugnante. Firmou-se com dificuldade na parede úmida, aos escorregões. Um objeto liso e redondo... pontas duras... mau cheiro suficiente para matar um homem. Ossos de homens há muito sepultados ali, e corpos putrefatos dos mais recentes. No alto, o círculo onde as faces ferozes dos inimigos se inclinavam desapareceu. A boca do poço foi cuidadosamente trancada e o sadu, sozinho no Vale da sombra da Morte, mergulhou em oração. Não era fácil compreender aquele tormento. Pois então não estava ele ao serviço de Cristo? E por que ninguém o ouvia e todos lhe davam em resposta o desprezo e ódio? Haveria engano na sua decisão de pregar no Tibete. Por que Cristo não se manifestava, convertendo almas? As horas perderam a realidade e, para o moço cuja alma se debatia entre o gozo de sofrer por Cristo e a dúvida, o tempo transformou-se numa planície gelada e sem fim.

Não sabia que três dias se tinham passado. Inerte, sentado entre os ossos e os cadáveres, aguardava a morte, quando a boca do poço se abriu. Um vulto irreconhecível surgiu, negro contra o céu da noite. A voz, ampliada, era como o trovão. Ordenava-lhe que agarrasse a corda. E pouco depois, tateando fracamente, encontrou-a. Tinha um nó na extremidade. Firmou ali o pé e segurou-a como pôde. Sentiu que era erguido; seu corpo oscilou pesadamente de uma parede à outra, até que atingiu a superfície. Fortes mãos o agarraram e colocaram em terra. O ar fresco invadiu-lhe os pulmões como a água da represa invade o vale, os diques. Tossindo, atordoado, ouviu como em sonhos o ranger da tampa, o som da chave na fechadura.

Olhou em torno, para conhecer o seu amigo desconhecido, mas viu que estava só na escuridão noturna. Caiu de joelhos e deu graças a Deus. Amanhecia. Vacilante, dirigiu-se ao serai, onde adormeceu entre o bulício da faina diária que começava. Ninguém imaginaria que o saniasi mergulhado no mais profundo dos sonos era o mesmo condenado ao poço três dias antes.

Quando acordou, reiniciou a pregação.

O seu caso estava encerrado, visto que todos o julgavam morto; o tumulto e o susto foram enormes quando aquele fantasma surgiu. Novamente levado ao lama, narrou a sua libertação.

O monge tremeu de fúria.

– A chave! Com quem está a chave do poço?

Amedrontados, os oficiais sentiram claramente que o sadu teria companheiros no fundo da cisterna, desta vez. E procuravam a chave, ansiosos. Não aparecia. Afinal, um dos presentes fez em voz baixa uma observação medrosa e, instantes depois, acompanhando os olhares, o lama de Tashigang levou a mão ao cinto, onde encontrou a chave...

Sundar Singh foi expulso sem maiores violências e continuou a jornada. Mais tarde manifestou tendência para crer que um anjo de Deus o libertara. Mas sempre insistiu nisto: pouco importava saber se o libertara um amigo secreto do cristianismo – como às vezes surgem alguns no Tibete – ou outra criatura. Seu libertador real era Cristo. O agente que se encontrava atrás da mão que movera a chave era o seu Mestre.

Durante algum tempo foi acompanhado por um tibetano com quem fizera amizade.

Certo dia particularmente frio, os dois subiam o trilho da montanha, sob a neve lenta e silenciosa. Frio de gelar os ossos. Açoitados pelo vento malévolo, mal vestidos, desesperavam de terminar com vida a viagem. À margem do trilho a montanha despenhava-se num precipício escarpado. No fundo uma figura escura, como um vulto humano que a neve pintalgasse. O sadu firmou a vista. Um homem! Não podiam deixá-lo ali. Chamou o companheiro, mas este, indignado, voltou-lhe as costas. Mal podia consigo e ainda haveria de pôr um homem às costas? O único proveito seria a morte dos três. Pois então que morresse só um. E desapareceu. Tateando com os pés, o sadu desceu a perigosa ladeira. Auscultou o coração do homem; palpitava fracamente. Com esforço atirou-o às costas e, agarrando-se com a mão direita às arestas da rocha, suado e ofegante, conseguiu afinal atingir novamente o trilho. Seu calor comunicou-se ao corpo inanimado e o homem começou a dar leves sinais de vida. Com o fardo às costas, continuou a viagem. Algumas centenas de metros adiante viu outro corpo caído, semi-sepultado na neve. Colocou no solo o que trazia e inclinou-se sobre ele; imóvel e frio como pedra. Congelado. Observou-lhe melhor as feições e, penalizado, reconheceu o companheiro tibetano. Atingiu, finalmente, uma aldeia e ali os cuidados dos aldeões completaram a cura do desconhecido.

Mais tarde, referindo-se a este episódio, comentou que ele mostrava muito bem a absoluta verdade das palavras de Cristo: "Quem quiser salvar a sua vida, perdê-la-á".

Teve, muitas vezes, estranhas surpresas que bem mostram a extensão do reino de Cristo, o poder que tem a Palavra de Deus sobre o coração humano, e o perigo de serem introduzidos na crença cristã elementos estranhos, com os quais estejamos familiarizados.

Haja vista o que lhe ocorreu na biblioteca de um lama:

"Certa vez fui ver a biblioteca do lama dum templo budista do Tibete Ocidental e fiquei muito admirado de encontrar um exemplar do Novo Testamento entre os demais livros. - Onde obteve este livro? - perguntei - 'Livro maravilhoso' - foi a resposta. - 'Traz coisas extraordinárias. Conhecer o Jesus Cristo de quem ele fala? Tenho a certeza de que foi uma encarnação de Buda.' - Eu creio nele, afirmei. É o meu Salvador e Salvador do mundo. - 'Se é Salvador do mundo não sei; o que sei é que é encarnação de Buda e que o Tibete é o teto do mundo, e que Ele há de voltar e estabelecer o seu trono no Tibete, daqui regerá o mundo todo, porque o Tibete é o teto do mundo. Estamos mesmo à espera dele, há-de voltar e reger o mundo, Jesus Cristo, encarnação de Buda.'"

Mas voltava o inverno tibetano, rigorosíssimo, e o sadu apressou-se a regressar a Kotgar, onde o procuravam amigos e estudantes para pedir conselho e ouvir a narração da viagem.

O seu coração apegou-se definitivamente ao Bhot. Ano após ano, naquela trabalhosa vida de pregador e apóstolo, abandonava a Índia durante o verão e aventurava-se pelas cabanas e cidades do além-Himalaia. Ali, sofrendo por Cristo, teve algumas das mais profundas experiências espirituais da sua vida. A Índia tinha missionários, igrejas, pastores nacionais, liberdade de pregação. O tibete estava órfão de trabalho evangélico. O sadu abriu-lhe a sua grande alma juvenil.

E Kotgar, a velha Estação Missionária, transformou-se em base de operações. Dali partia ele para o seu campo pontualmente, escalando o trilho tênue do pinhal por onde, meses depois, regressava exausto e jubiloso. Mas foi em Sabatu que, enfermo e envelhecido, galgou pela última vez, sob olhos amigos, a via familiar, e desapareceu à sombra das velhas árvores.

9
Histórias da Estrada

Foi ao regressar do Tibete que passou por uma das experiências mais desagradáveis da sua vida.

A Igreja Indiana desenvolvia-se sob o bafejo de orientação perigosa: possuidores de desejo incontido de ajudar, os missionários facilitavam muito a vida aos jovens convertidos que revelassem inteligência e desejo de aprender, admitindo-os aos estudos nos seus colégios sem qualquer sacrifício que correspondesse ao bem recebido. A noção de sacrifício na carreira cristã obliterava-se. A cruz de que Cristo falava seria imposta por circunstâncias externas: animosidade do ambiente, perseguições. Mas nunca deveria ser voluntariamente procurada. Quem tivesse oportunidade de ser cristão e viver tranqüilo, necessariamente devia fazê-lo. Gestos como o de Sundar Singh, que buscava tarefas difíceis e perigosas, e elegia como campo do seu apostolado o país mais perigoso do mundo, eram raríssimos na Igreja da Índia.

Tal atitude espiritual necessariamente repontaria com maior nitidez nos Seminários.

O doutor Lefroy, superintendente de Lahore, nutria pelo sadu profunda amizade e não abandonara a esperança de enriquecer o ministério anglicano com a colaboração daquela vigorosa personalidade cristã. Em 1909 convidou-o para cursar o Seminário de Lahore. Constrangido pela amizade, Sundar resolveu tentar.

Logo compreendeu o erro. Sentia-se isolado. Os colegas não o compreendiam e chegavam a aborrecê-lo. Faltava espírito de sacrifício àqueles futuros ministros cristãos. Preparavam-se para teólogos e oradores, sairiam cheios de ambição, dispostos a conquistar rapidamente um lugar onde brilhasse como merecia a luz dos seus talentos. O seminário de Lahore fazia mestres de teorias religiosas, mas não edificava grandes personalidades cristãs.

Entre os demais, um dos jovens candidatos ao ministério salientou-se pela antipatia que voltava ao "místico". Certo dia o sadu, isolado à sombra de uma árvore, contemplava o chão, esquecido do mundo. Sorrateiramente o inimigo aproximou-se, pronto para uma boa peça. Os lábios do santarrão moviam-se. Estaria falando sozinho? Pareceu ao rapaz ouvir o próprio nome. Curioso, aplicou o ouvido. Sundar Singh, orando, pedia a Deus que lhe perdoasse qualquer ofensa cometida contra aquele colega. Que Deus o ajudasse a conquistar a sua simpatia, para que ambos vivessem como amigos. A partir dessa data iniciou-se entre os dois sólida amizade, só interrompida quando o sadu desapareceu.

Mas o constrangimento permanecia. Não se adaptava à carreira eclesiástica.

Andrews, que freqüentemente o visitava, tinha a impressão de que ele era uma ave engaiolada, saudosa da liberdade e dos vôos amplos.

Mesmo o superintendente logo compreendeu que o seu amigo nunca seria bom ministro. Chegava o tempo de ele ser ordenado diácono. Antes do exame foi perguntar se após a ordenação teria licença para pregar em qualquer Igreja Cristã. Não – respondeu-lhe o superintendente. – Nem para pregar, nem para comungar na Ceia do Senhor.

Depois de examinar cuidadosamente o assunto, Sundar Singh renunciou uma vez mais, e para sempre, às oportunidades do ministério regular, e voltou à vida livre, aventurosa e rica de experiências das estradas indianas, deixando-se guiar e governar inteiramente pela Providência Divina.

Os anos que viveu obscuramente, de aldeia em aldeia, reforçaram as qualidades da sua alma. Uma série de incidentes ligados a esses anos ajudar-nos-á a compreendê-lo. Alguns narrados por ele próprio; outros, por testemunhas oculares. É difícil estabelecer datas: o sadu não se preocupava excessivamente com elas.

Encontrava almas famintas que mal viam a sua roupa de sadu, imediatamente o procuravam para pedir conselhos. Encontrava também malandros endurecidos e cínicos. As estradas da Índia são como quaisquer outras.

Certa vez dirigia-se para uma aldeia, quando dois homens passaram por ele, andando depressa, e desapareceram numa curva da estrada. Ao fazer a mesma curva viu um homem em pé, consternadíssimo. Aproximou-se e verificou que era um dos que haviam passado por ele. Apontava um vulto coberto, à beira do caminho. Erguendo a capa, o sadu viu uma face rígida de cadáver.

– Caiu morto aqui, de repente. Ai de mim! Nem uma moeda de cobre tenho, para enterrar o meu maior amigo! Santo Homem, socorre-me!

Adiante havia uma ponte e o sadu recebera duas moedas para pagar a licença de atravessá-la. Tomou as moedas e entregou-as ao infeliz, com uma palavra de simpatia. Continuou o caminho, mas logo depois ouviu rumor de passos na estrada. Voltou-se e deu com o homem, ofegante, olhos esbugalhados de pavor.

– Sadu, o meu amigo morreu mesmo!

Não compreendeu bem. Morreu mesmo. Como?

E o outro pálido, explicou que era um velho truque com que costumava enganar os viajantes: cada vez um se fingia de morto e o outro pedia a esmola. Pois desta vez, vendo que o companheiro não se erguia, descobrira-o e o encontrara imóvel, sem vida. E acrescentou:

– Benditos sejam os deuses; não era a minha vez!

Estava certo de que o sadu era um grande santo; a divindade matara o seu companheiro por castigo. Pedia perdão. Não o amaldiçoasse, ali estavam as moedas...

O sadu expôs ao infeliz a mensagem evangélica.

– Santo Homem, quero ser teu discípulo.

– Mas como serás o meu discípulo, se eu próprio já o sou de outro?

– Mas permite ao menos que eu te acompanhe, Santo Homem. Quero reformar a minha vida.

E assim o acompanhou algumas semanas. Depois Sundar encaminhou-o aos missionários de Garhwal, que mais tarde o batizaram.

A direção de Deus na vida humana evidencia-se a cada momento, mas raramente tão clara como em vidas semelhantes à do sadu, que tudo entregava à orientação divina. Por isso mesmo, aprendeu a atribuir tudo a Deus, que o guardava, alimentava, abrigava e levava a lugares onde a sua presença era necessária.

Diante dele estendiam-se coleantes dois caminhos, na montanha. Indeciso, tomou um qualquer e continuou a caminhada. Dezessete quilômetros adiante viu uma aldeia. Interrogando um dos moradores, verificou que estava errado e regressou à encruzilhada. Antes de lá chegar viu que alguém seguia a mesma trilha, metros adiante. Era um hindu que lia, absorto. Tão absorto que só deu pela sua presença, quando ele quase o alcançava. Escondeu sobressaltado o livrinho, curvou-se reverente e acelerou o passo para acompanhá-lo. Sundar Singh começou a falar-lhe de Cristo e imediatamente ele retirou das dobras do vestido o Novo Testamento, com um sorriso aberto. Estava exatamente lendo o livro de Cristo, quando o sadu o alcançou. Tinha pensado que era um Saniasi hindu, e por isso ocultara o volume. Mas para ser franco, havia ali coisas que não compreendia bem. Por exemplo... e passou a mencionar as suas dúvidas, que o sadu foi resolvendo pacientemente, com textos do Evangelho. Quando atingiram o cruzamento, o homem deu graças a Deus, que enviara aquele Santo Homem, a fim de esclarecê-lo das suas dúvidas.

"E então eu compreendi o motivo por que havia errado o caminho – comentou o sadu, anos depois – Cristo enviara-me para auxiliar aquela alma."

No distrito de Toria atingiu um dia uma aldeia onde o povo não quis recebê-lo. Era o sadu cristão, e eles nada queriam com cristãos. Viu-se forçado a passar as noites numa caverna próxima. Comia frutos silvestres e vinha para a praça cantar. Inutilmente. Maltratavam-no, e as línguas hindus, particularmente férteis em insultos, se requintavam de sutilezas quando ele aparecia. Ao entardecer, um dia, regressou desalentado. Nem uma alma se abrira para a mensagem do evangelho. Chegou à caverna, estendeu a capa e dedicou-se à oração. Quando se deitou, as trevas haviam invadido a floresta e a caverna, trevas tão espessas que não conseguia ver a própria mão. Exausto, adormeceu. A madrugada despertou-o com a desagradável impressão de algo quente e mal cheiroso nas proximidades. Voltou-se. Uma grande pantera dormia ao seu lado. Retirou-se precipitadamente e fugiu da mata. Passou o dia meditando sobre a maravilha da Providência Divina, que o guardara durante o sono.

"Desde então - conta ele - nunca uma fera me fez mal".

Sempre tomou o mais literalmente possível as palavras de Cristo. E mais de uma vez comprovou praticamente que nem sempre é verdadeira a tendência de "espiritualizar" em excesso o ensino do Mestre.

Um dia saiu de Kotgar e dirigiu-se a Narcanda, aldeia próxima, situada na estrada Indostão-Tibete. Os trigais ondulavam, amarelos, e um grupo de camponeses segava diligentemente. Deixando a estrada, o sadu procurou-os e, enquanto eles trabalhavam, começou a falar a respeito de Cristo. Taciturnos, cabeças baixas, nada disseram. Afinal, um deles resmungou qualquer coisa sobre "não querer nada com cristãos", e outro disse um desaforo a respeito da "religião de estrangeiros". E como o sadu continuasse, o que primeiro resmungara apanhou uma pedra, que atirou. Atingiu-lhe a cabeça, que começou a sangrar.

Calou-se e foi sentar-se junto à estrada, observando o trabalho. Logo depois o que o ferira sentiu insuportável dor de cabeça e teve de abandonar o trabalho. Sundar Singh, silenciosamente, levantou-se apanhou a foice abandonada e continuou o trabalho interrompido. Os demais contemplavam-no, pasmados. Quando a tarde caiu, um deles convidou-o para comer na sua casa. E à noite todos se reuniram para ouvi-lo. No dia seguinte procuraram-no, mas ele desaparecera. Anos mais tarde um daqueles segadores narrou num jornal evangélico hindu esse incidente, graças ao qual se convertera.

Em Rishi Kesh, às margens do Ganges, o sol avermelhava no nascente e seus raios faziam brilhar as águas do rio sagrado. Um grupo de homens com roupa cor de açafrão aglomerava-se em certo ponto da praia, cercado de populares. No centro, um sadu mais moço, com um livro na mão, falava calmamente. Quem olhasse o rosto de cada ouvinte veria atenção absorvente em alguns, tolerância noutros e zombaria ou indignação nos demais. Impertubável, o pregador continuava a prática. Inesperadamente um homem do povo abaixou-se, encheu as mãos de areia e atirou-a aos olhos do sadu que falava. Houve indignação contra a brutalidade e um dos presentes, exaltado, agarrou o agressor e foi entregá-lo ao policial sik, que de longe observava a cena. O policial prendeu-o e dirigia-se para o posto quando foi alcançado pelo Santo Homem atacado. A água com que lavara os olhos ainda lhe corria pelo rosto. Pedia ao representente da justiça que deixasse em paz o seu ofensor. Não faria queixa contra ele. E voltou à praia para reiniciar a pregação. O policial pensou alguns segundos, indeciso. Afinal, se o próprio ofendido pedia a soltura do culpado, que mal havia nisso? E largou o agressor que, ressabiado, voltou ao grupo. Ouviu com atenção. Terminada a palestra, pediu licença ao sadu para acompanhá-lo. E durante vários meses foi seu companheiro dedicado e fiel.

Na Índia as coisas espirituais dominam o homem desde o nascimento até a morte. O povo vive num mundo de deuses e semideuses que se encarnam em vacas, em crocodilos, em outros animais, ou que vagueiam no espaço, quando não escolhem homens para habitação. De sorte que muitos incidentes que a nós pareciam sem importância, assumem, ali, proporções de luta de morte entre as forças das trevas e o poder de Cristo.

Tal era a opinião do sadu a respeito do incidente com o mágico, no comboio.

No carro sem conforto em que viajava ia um indivíduo que se dizia mágico. Havia hipnotizado um dos passageiros, e os demais, embasbacados, ouviam as suas frioleiras como se fossem pérolas de sabedoria.

O sadu interpôs-se, para desmenti-lo, e o mago, imediatamente, ameaçou dominá-lo também. Sundar Singh inclinou a cabeça e começou a orar, enquanto o outro iniciava o trabalho. Durante meia hora labutou e afinal, suado e exausto, disse que nada podia fazer por causa do encantamento do livrinho que o sadu trazia consigo. Calmamente Sundar Singh retirou o Novo Testamento e colocou-o no banco. Outra tentativa falhada, nova explicação: havia ainda em poder do Santo Homem uma página do livrinho. De fato, havendo encontrado no caminho uma página caída do Evangelho, Sundar Singh a apanhara e guardara. Retirou a folha e colocou-a junto do livro. Nova tentativa, novo fracasso. Era a capa de sadu que tornava impossível hipnotizá-lo. Sundar tirou a capa. Afinal, ofegante, o homem confessou que não conseguia hipnotizar aquele Santo Homem. Havia na sua pessoa uma força misteriosa, maior que a dele. E então o sadu explicou ao mago e aos companheiros de viagem que realmente tinha um poder invencível - não dele, mas do seu Guru, que era Jesus Cristo. E, enquanto o comboio resfolegava nas encostas, contou-lhes alguns incidentes da maravilhosa vida do seu Guru.

No decurso das suas viagens afrontou muitas vezes as ordens de tiranetes dos principados do Norte, que proibiam terminantemente a pregação de qualquer religião estrangeira no seu território. Entre esses estão o Butão, o Nepal e o minúsculo Siquim, todos na orla do Tibete.

Penetrando no Nepal, dirigiu-se para Ilom, não muito longe da fronteira. Logo que iniciou a pregação na cidade, um dos naturais da terra advertiu-o, em voz baixa, de que o melhor seria voltar para a Índia, em lugar de se expor à morte ali. Continuou. Mas não por muito tempo. Poucas horas depois, quando pregava na rua, uma escolta prendeu-o e levou-o, aos trancos, para a cadeia local, onde o atiraram para o meio de assassinos e ladrões profissionais. Contemplando os mal-encarados companheiros, que o olhavam com malévola desconfiança, Sundar Singh encheu-se de piedade. Iniciou palestra com eles e logo o ouviram, profundamente atentos. Anoiteceu. Um deles providenciou um canto onde ele dormisse em paz. O sadu abriu o Novo Testamento e anotou, na primeira página: "Nepal, 7 de Junho de 1914. A presença de Cristo transformou a minha prisão num céu abençoado: como não há de ser o próprio Céu?"

No dia seguinte, a palestra com os criminosos continuou. Não demorou muito e um deles declarou que quando saísse dali nunca mais reincidiria nos velhos vícios. Seria cristão, como o Saduji. Os carcereiros, abismados, foram relatar aos oficiais o que se passava e veio ordem de retirar o sadu cristão da cadeia e levá-lo ao tronco, na praça. Mãos e pés presos, em posição forçada e incômoda, despido, passou ali o dia e a noite. Colocaram sanguessugas no seu corpo, para lhe absorverem lentamente a vida, num suplício diabólico. Até a morte conservou cicratizes desse tormento. As marcas do Senhor Jesus. Em torno, uma multidão selvagem fugida das páginas da História Medieval gritava e insultava. Quando o dia seguinte raiou, vieram os coveiros encarregados de sepultá-lo. Pasmados, verificaram que o sadu cristão não só estava vivo, mas conservava no rosto uma expressão inalterada de calma que fazia pensar na mais tranqüila das noites. "Não sei porque, mas tinha o coração tão cheio de alegria que não podia abster-me de cantar e pregar". Soltaram-no, maravilhados. Fraco pela perda de sangue e pelo sofrimento, caiu inconsciente, e ali o deixaram. Mas residiam no lugar cristãos da Missão Saniasi, os quais serviam a Deus ocultamente. Esses irmãos vieram buscá-lo, carregaram-no até sua casa e cuidaram dele.

Nesses anos duros, mas abençoados, aprofundou-se a vida espiritual do sadu. As longas horas de prece transformavam-se muitas vezes, inexplicável e insensivelmente, em horas de êxtase e visão. Nos momentos de dor uma estranha alegria o dominava, alegria quase eufórica, irresistível e dulcíssima. Sofrer por Cristo era para ele, após as primeiras lutas em que chegara a duvidar de que Deus o guardasse, uma felicidade.

10

Um Místico Cristocêntrico

Quando agitamos violentamente uma bússola, a sensível agulha gira desorientada por alguns instantes; tremula depois, à procura do rumo, e, afinal, fixa-se apontando o Norte.

Com a vida do sadu aconteceu algo semelhante: agitado pelo desejo de ter paz, amargou anos de desorientação e sofrimento. Porém, desde o dia em que viu Cristo e se converteu, sua vida encontrou o rumo definitivo, que nunca mais abandonaria. Cristo passou a ser tudo para ele.

Quando lia o Evangelho, seu rosto transfigurava-se. Chegou a conhecer de cor a narrativa da vida do Mestre. "O propósito único dos Evangelhos é dar-nos a conhecer a Cristo".

"Cristo é meu Salvador. É minha vida. É tudo para mim no Céu e na Terra. Certa vez viajei por uma região arenosa, ficando cansado e sedento. Subi a uma colina e procurei água. A visão de um lago distante trouxe-me alegria e revigorou-me a esperança. Longo tempo caminhei na sua direção, mas nunca o atingi. Mais tarde percebi que havia sido miragem – apenas a ilusão de água, resultante da refração dos raios solares. Mas não existia ali água alguma. Assim também caminhei em minha vida, à procura da Água Viva. As coisas do mundo: riquezas, posição, honra e luxo, pareciam um lago e bebendo essa água pensei que a sede espiritual cessaria. Mas não encontrei uma gota que me saciasse. Morria de sede. Quando meus olhos se abriram, vi os rios de água viva que fluem do seu lado ferido. Bebi dessa água e senti-me satisfeito. A sede desapareceu. Desde então, sempre tenho bebido da Água da Vida e nunca mais senti sede no deserto deste mundo. O meu coração está cheio de gratidão.

"Sua presença me dá uma paz que sobrepassa todo o entendimento, sejam quais forem as circunstâncias em que eu me encontre. Na perseguição encontrei paz, alegria, felicidade. Nada pode tirar-me a alegria que encontrei no meu Salvador. Em casa Ele está comigo. Na prisão acompanha-me. Por ele a prisão já foi transformada em Céu e a cruz em fonte de bênção. Segui-lo e carregar a sua cruz é tão doce e precioso que, se no Céu não houver uma cruz a suportar, pedir-lhe-ei que me mande como seu missionário – ao Inferno, se necessário – para que ao menos ali eu tenha oportunidade de carregar a sua cruz. Sua presença transformará o próprio Inferno em Céu. Como o mundo não pode expressar a doçura do mel, assim o pecador salvo não sabe externar a doçura da Sua presença no coração. Somente a linguagem celestial poderia dar expressão adequada a essa paz celestial. Mesmo que eu me encontre em perigo, em tentação, rodeado do pecado e tristeza, por Ele, que me deu a sua vida, sou salvo. Embora o mar seja salgado, os peixes vivem sempre nas suas águas. Não ficam também salgados, porque vivem. Assim é com os que nele recebem vida – embora vivam no mundo, não são do mundo. Não apenas aqui, mas também no Céu nós nos encontraremos a nós mesmos nele.

"Não ambiciono riqueza, posição ou honra. Nem o próprio Céu desejo. Mas necessito 'dele', pois transformou o meu coração em Céu. Seu amor infinito expulsou o amor de outras coisas. Há cristãos que não conseguem compreender bem a sua presença preciosa e vitalizadora, porque para eles Cristo vive no cérebro ou na Bíblia, e não no coração. Só quando lhe entrega o coração é que o homem o encontra. O coração é o trono do Rei dos reis. A capital do Céu é a alma onde esse rei reina".

Percebe-se bem que para o sadu o domínio de Cristo não era apenas questão de opinião ou de desejo, mas um modo de ser, uma segunda natureza – um temperamento.

Foi esse domínio que o levou a orientar a vida para um rumo que nunca teria escolhido no sikismo: vida ativa de apóstolo e pregador. Concentrado, tímido e avesso a chamar a atenção, desde a infância criado no recesso do lar e no regaço da mãe, o sadu preferiria mil vezes a vida tranqüila de eremita, encafuado numa gruta do Himalaia, em constante comunhão com Deus, e livre da perturbação e do tumulto dos homens. Mas compreendia que somente aqui na Terra – como ele próprio disse mais de uma vez – teria oportunidade de sofrer por Cristo e de evangelizar o seu semelhante. Por isso abandonou a vida para a qual o chamava sua formação psicológica, transformando-se em pregador itinerante. "Tenho dito aos sadus indianos: vocês são sadus porque desejam torturar-se a si próprios. Eu o sou para servir. Não me torturo, embora já tenha sido torturado. Renunciei ao mundo. Quero estar no mundo, mas não quero ser do mundo".

Não considerava o Salvador como simples personagem histórico, "o Cristo dos Evangelhos", embalsamado nas páginas de um livro sagrado. Para ele Cristo estava vivo ao seu lado e o valor do "Cristo dos Evangelhos" era exatamente mostrar-lhe quem era seu Senhor atual, o que fizera por ele e por todos os homens – mas nunca absorver a adoração e o serviço que pertencem ao Cristo atual, vivo e eterno. "Cristo não é apenas figura histórica, mas uma pessoa que vive e age nos nossos dias. Não vive apenas na Bíblia, mas também no nosso coração". Um cristão indiano que viajou muito, declarou certa vez: "Vi o túmulo de Maomé. Esplêndido, decorado com diamantes e outras pedras preciosas. Esclareceram-me: 'Aqui se encontram os ossos de Maomé'. Vi o túmulo de Napoleão e ali me disseram: 'Aqui se encontra os restos de Napoleão'. Mas quando vi o túmulo de Cristo, verifiquei que estava aberto. Não havia ossos ali." Cristo é o Cristo vivo. "O túmulo tem estado, assim, aberto há cerca de dois mil anos. Também o meu coração está aberto para o Senhor. Vive em mim. É o Cristo Vivo porque vive na vida dos cristãos. Os verdadeiros cristãos não são os que professam Cristo, mas os que possuem Cristo".

A natureza cristocêntrica do seu misticismo evidencia-se bem naquela estranha experiência que o acompanhava, de certa época em diante, o êxtase.

Não o buscava. Mas, quando só "algo me busca, numa linguagem sem palavras; sinto-me como rodeado de atmosfera maravilhosa; depois falam-me ao coração - e caio em êxtase. Não se articulam palavras: vejo como num quadro, num momento são resolvidos problemas - facilmente, agradavelmente, sem sobrecarga para o cérebro".

Ele não sabia definir a experiência. "Há pérolas no mar, mas para possuí-las cumpre mergulhar até o fundo. O êxtase é um mergulho até o fundo das coisas espirituais".

A princípio raro, o êxtase foi-se tornando freqüente e nos últimos anos era quase diário. Divergia do transe hipnótico, visto que ele não o buscava. Mas perdia totalmente a percepção do mundo. Certa vez, um amigo procurou-o. Ele estava sentado, com os olhos abertos, sorrindo. Chamou-o. Não obteve resposta. Chamou em voz mais alta. Afinal, retirou-se sem ser ouvido. Noutra ocasião, conta o mesmo amigo, sadu caiu em êxtase e vespas o cobriram de ferroadas, a ponto de inchar-se o corpo - e ele nada sentiu. Não se tratava, portanto, de simples sono. Além disso, a inteligência funciona melhor que quando em estado comum. Em outra ocasião, tendo de falar às oito horas da manhã, levantou-se às cinco para orar. Caiu em transe e só às nove voltou ao mundo, lamentando a perda do auditório que, pesaroso e perplexo, se retirara. Não costumava referir-se ao êxtase em público, visto que a maioria das pessoas, ignorando os fenômenos místicos, seria tentada a considerá-lo impostor ou imbecil.

Sempre voltava à consciência do mundo com maiores reservas físicas e espirituais. Nos dias de desalento, quando não conseguia fazer-se ouvir pelo povo, o êxtase o retemperava.

Ao entrar em êxtase, deparava-se-lhe uma visão constante, a que dava o nome de terceiro céu. Seres celestiais lhe falavam, esclarecendo pontos que não compreendesse bem. Uma paisagem de maravilha o rodeava, montanhas e árvores quase dotadas de expressão, diversas do universo passivo que nos rodeia; vendo-as, sentia-se irresistivelmente impelido a louvar o Criador. No centro de suas visões constantemente estava a pessoa de Cristo. Não o via aqui como na madrugada em que se converteu. Afirmava que agora era visão, mas na primeira vez contemplara a pessoa do Salvador diretamente. Ouçamos a sua narrativa:

"Houve tempo em que a doutrina da Trindade me deixava confuso. Pensava em três pessoas sentadas em três tronos. Mas tudo se esclareceu numa visão... Ali vi Cristo com o Seu glorioso corpo espiritual, sentado no trono. Onde quer que eu fosse, sempre o via. Cristo estava sempre no centro - figura que palavras não descrevem. Rosto brilhante como o sol, mas não ofuscante e tão amigo que com facilidade eu o contemplava. Sorria sempre com sorriso de afeto glorioso. Quando o vi pela primeira vez, tive a impressão de que entre nós existia uma união antiga; era como se Ele dissesse, sem palavras: 'Fui eu que te criei'. Senti, com maior intensidade, o que me sobreveio quando contemplei meu pai, após vários anos de separação. O velho afeto voltou; senti que fora dele anteriormente. Quando pela primeira vez entrei no Céu, olhei em torno e perguntei: mas onde está Deus? E alguém me respondeu: Como na Terra, aqui também Deus não é visto, porque é infinito. Mas aqui está Cristo, e Cristo é Deus; é a imagem do Deus invisível, e somente nele podemos ver Deus, tanto no Céu como na Terra."

De haver centralizado sua vida em Cristo vem que o sadu sempre procurou imitá-lo o mais literalmente possível. Não tinha onde reclinar a cabeça, exatamente como o Filho do homem. Não levava bolsa nem alforje. Ensinava por parábolas. Acalentava no coração ardente desejo de visitar a Palestina e percorrer passo a passo os mesmos lugares que o Mestre palmilhara. Quando falava em Cristo, o seu rosto resplandecia, os olhos iluminavam-se e toda a sua pessoa ganhava vida nova. Tão literalmente o imitava, que chegou a acalentar a esperança de morrer aos trinta e três anos de idade, como o Senhor. Esse desejo de imitar o Mestre explica a história que se segue:

Em começos de 1913, dois homens caminhavam à margem da floresta que se estende entre Hardwar e Dehra Dun. Um deles, um ocidental, falava energicamente, ouvido pelo outro – um hindu alto, de rosto simpático orlado por negra barba – com cortesia sorridente. A veste cor de açafrão desse hindu denunciava o homem consagrado exclusivamente à religião.

Certa altura os dois detiveram-se e o oriental falou:

– Fico-lhe muito agradecido, doutor, mas é um velho desejo que agora cumpro.

– Pois se nada o demove, peço-lhe ao menos que me dê o endereço dos seus parentes; poderei assim avisá-los, se houver necessidade.

Um sorriso entreabriu os lábios do santo homem, em cujo vestido dançavam as manchas do sol e sombra das árvores que margeavam a estrada.

Mencionou seis nomes, entre os quais se encontravam o do Metropolitano e o do Canon Sandys, conhecidos em toda a Índia e universalmente respeitados.

E com isto se despediram. O médico – que era católico-romano – continuou a jornada para o mosteiro e o sadu Sundar Singh mergulhou sozinho na floresta "para se encontrar com o seu Deus".

Deteve-se numa clareira; abriu o Novo Testamento e esqueçeu-se do mundo. Ao findar o dia atirou fora uma das quarenta pedrinhas que trouxera consigo para marcar o período do jejum – quarenta dias, como o de Cristo.

No dia seguinte, ao orar, sentia que o estômago queimava, como se ele houvesse tragado ferro em brasa. A dor continuou por algumas horas, mas depois desapareceu. Um sentimento intenso de alegria e paz dominava-o. Caiu em êxtase e, numa visão, contemplou o Salvador, cujas mãos e pés feridos contrastavam com a expressão radiosa da fisionomia.

Os dias corriam. Enfraquecia a olhos vistos. O seixo que diariamente atirava fora já pesava como um bloco de granito. E, à medida que o organismo cedia, mais penetrante se tornava a mente e melhor compreensão tinha das grandes realidades espirituais. Um dia, tentando levantar o braço para separar a pedra que indicaria a data, não o conseguiu. Penosamente, deitou-se. Sons estranhos, longínquos, ressoavam aos seus ouvidos. Ergueu com esforço a cabeça e viu, perto, um leão – ou seria leopardo? – com os dentes arreganhados.

Continuou a orar, perdendo a noção do tempo.

Afinal – nunca soube dizer quantos dias depois – dois homens aproximaram-se cautelosamente. Pareciam lenhadores.

– É um sadu!

E está quase morto!

Com os olhos abertos, tentou falar, mas não conseguiu articular som algum. Os dois homens afastaram-se e começaram a gesticular, voltando-se para ele às vezes. Um deles havia apanhado o Novo Testamento caído ao seu lado, e ambos viravam desconfiadamente as páginas.

Afinal, aproximaram-se de novo, enrolaram-no num manto e carregaram-no para Rishi Kesh, em cujas praias os peregrinos costumavam ajuntar-se como nuvens de gafanhotos para o banho purificador no Ganges.

De Rishi Kesh, onde os cristãos o receberam – identificado pelo Novo Testamento – foi enviado a Dehra Dun, e dali a Annfield, onde costumava hospedar-se.

Não estivesse o seu nome escrito no Novo Testamento e nunca os crentes de Annfield reconheceriam naquele corpo descarnado, barba revolta, olhos febris, o sadu cheio de vitalidade e força, que percorria a pé descalço todo o Norte da Índia, e que se embrenhava anualmente no tumular país tibetano.

Aquela ruína física impressionante fazia pensar na resistência de aço do Mestre a quem Sundar Singh tentara imitar.

Enquanto em Annfield, amigos solícitos faziam tudo para chamá-lo novamente à vida, o nome de Sundar Singh corria jornais, num quiproquó até certo ponto humorístico.

O médico, seu companheiro de viagem, ao chegar ao mosteiro, escreveu a um amigo de Dehra Dun contando que caminhara em companhia do sadu Sundar Singh até determinado ponto da estrada. O sadu pretendia jejuar quarenta dias na floresta, loucura evidente. Dificilmente sairia dali com vida. Talvez, naquele momento, já tivesse sido devorado pelas feras.

Esse amigo, informado de que um sadu fora achado semimorto na clareira, mencionou o fato ao responder.

Ora, é humano desejar ver provadas as nossas afirmativas. Pareceu ao médico que já estavam praticamente cumpridos os fúnebres prognósticos que fizera na estrada, quando tentava dissuadir o sadu e apressou-se a telegrafar aos amigos do santo. "Sundar Singh dormiu em Jesus". Recebendo este telegrama, o Canon Sandys imediatamente escreveu à agência telegráfica de onde viera, indagando sobre quem era o remetente. Que havia sido "Um cavalheiro de capa preta", foi a resposta. E então começou o desastre. Os jornais contaram, em necrológios lutuosos, a vida do sadu. Uma idéia surgiu e logo se espalhou como fogo em rastilho de pólvora: erguer em Simla uma coluna - monumento ao Apóstolo da Índia. Logo apareceu uma subscrição para esse fim. Na igreja de Simla, onde ele fora batizado, celebrou-se solenemente um culto "in memoriam"...

Eis senão quando surge em Simla, magro como um fantasma, o "defunto".

Anos mais tarde, em palestra com dois escritores ingleses, Sundar Singh analisou os resultados do jejum:

Anteriormente era, às vezes, assaltado por uma dúvida: não será possível que a paz e a alegria que dominam a minha vida sejam resultado apenas de forças pessoais e não da presença divina? Mas durante o jejum, à medida que as forças físicas lhe faltavam, mais intensa era a paz e o gozo que sentia - o que o convenceu que ela não dependia das suas forças. Ficou também esclarecido a respeito da distinção entre alma e cérebro. As faculdades espirituais tinham-se tornado mais ativas durante o jejum. "O cérebro é apenas a oficina onde o espírito trabalha. O cérebro é um órgão - o espírito, o organista. Duas ou três notas podem emudecer - isto, contudo, não prova a ausência do organista". Outro resultado notável foi sobre o seu próprio caráter: "Antes de empreender o jejum de quarenta dias eu era freqüentemente assaltado por tentações – quando escreverem o livro devem falar também das minhas fraquezas – especialmente quando estava cansado, costumava aborrecer-me ao me procurarem para conversar e fazer perguntas. Até hoje tenho essa dificuldade, mas de maneira alguma como antes do jejum. Amigos têm-me realmente dito que nunca observaram isto – mas mesmo assim é fraqueza que em nada me agrada ter. Tem-me trazido muito aborrecimento e dúvida, mas foi-me talvez dada para me fazer humilde, como o espinho na carne mencionado por Paulo – que, às vezes, penso ser a mesma coisa. Ou talvez seja resultado de ainda viver no corpo, mas gostaria que não fosse assim. Outras tentações me assaltavam, antes do jejum. Quando padecia fome e sede, às vezes eu queixava-me e perguntava por que motivo o Senhor não me socorria. Ele me dissera que não levasse dinheiro comigo. Se tivesse o dinheiro, facilmente compraria o que necessitava. Mas depois do jejum, quando atacado pela privação, digo: "É vontade do meu Pai celestial, talvez eu tenha feito alguma coisa para o merecer." Também, antes do jejum, às vezes sentia-me tentado a abandonar a vida de sadu com suas dificuldades e voltar para o luxo da casa do meu pai, casar-me e viver no conforto. Não poderia eu ser bom crente e viver em comunhão com Deus lá também? Mas nessa ocasião compreendi que, embora para outros não fosse pecado viver assim no conforto, e ter dinheiro e um lar, a minha vocação era diferente; e o dom do êxtase que me foi concedido é melhor que qualquer lar. Nele encontro alegrias maravilhosas que transcendem as demais. O meu verdadeiro casamento foi com Cristo. Não digo que para os outros o casamento seja mau. Mas se já estou ligado a Cristo, como poderei casar-me com outrem?"

Quando lhe perguntaram se antes havia jejuado disse que fora forçado a fazê-lo algumas vezes, no Himalaia.

– E esta espécie do jejum beneficiou a sua vida espiritual? – perguntou Streeter.

– Tudo tem beneficiado a minha vida espiritual – fome e sede tanto como as demais coisas.

Note-se que ele sempre considerou esse jejum um caso individual. Não julgava aconselhável que todos os cristãos fizessem o mesmo. Fora uma crise na sua vida espiritual – uma crise da qual saiu vitorioso, amadurecido e melhor preparado para os anos duríssimos que o aguardavam no Tibete.

11
O Sul

Quando foi convidado para pregar em Madrasta, havia treze anos que Sundar Singh se consagrara à vida de sadu cristão. Completamente embebido na meditação e no trabalho que escolhera, não lhe sobrara tempo nenhum nem interesse para verificar até que ponto a sua pessoa tinha impressionado a Igreja. Desceu do Punjab inconsciente daquilo que o aguardava.

Havia no Sul da Índia comunidades cristãs mais antigas e mais numerosas que as do Norte. As igrejas sírias da planície de Travancore afirmavam estarem suas raízes nos dias apostólicos quando – dizia a tradição – Tomé as estabelecera. O pregador das aldeias e casinholas isoladas, onde a reunião de trinta pessoas constituía fato digno de registro – como se deu em Kieland – ia entrar em contato com as igrejas de multidões.

Os cristãos do Sul já tinham notícias da sua pessoa, trazidas por missionários que o estimavam, por pastores nacionais e por cristãos seus conhecidos. Foi recebido com entusiasmo e após as primeiras conferências e consultas, o seu prestígio cresceu vertiginosamente. Os convites surgiam em escala crescente e o que ele imaginara ser rápida viagem para uma série de conferências transformou-se em trabalho exaustivo, de várias semanas consecutivas.

Trabalhador incansável, geralmente pregava duas vezes por dia: de manhã e à noite. No intervalo das pregações recebia visitas – dezenas de pessoas que se acotovelavam nos corredores do hotel, desejosas de expor problemas e pedir orações. Chegou a atender mais de cem pessoas por dia. Os auditórios cresciam sempre. Nos templos não havia lugar, e vinham assentar-se pessoas até na plataforma do púlpito. Depois o povo começou a chegar mais cedo e afinal verificou-se que vinham às três horas da tarde, para a reunião das seis. Terminada a conferência da noite, tomava o comboio, o barco, o autocarro e dirigia-se a outro ponto, para atender a novo convite. Em cidades onde havia escolas missionárias, fazia palestras especiais para os alunos, além das conferências públicas.

Embora viajasse sem uma moeda no bolso, e não pertencesse a nenhuma organização eclesiástica, jamais lhe faltaram recursos.

Em Travancore esteve na reunião anual de estudo bíblico, que geralmente congregava cerca de vinte mil fiéis. Quando se ergueu para falar, voltaram-se para a plataforma 32 000 pessoas – um mar de cabeças atentas e respeitosas.

Em Maio – corria o ano de 1918 – passou a Colombo, onde permaneceu durante seis semanas. Os jornais noticiaram amplamente o seu trabalho.

De volta ao continente, a influenza apanhou-o em Calcutá. "Com a doença Deus me deu descanso e tempo para orar, o que não fora possível fazer no Sul". Curado, foi a Bolpur, em visita a Rabindranath Tagore, com quem passou alguns dias.

Mas não podia demorar-se: esperavam-no na Birmânia. Visitou todas as grandes cidades desse país. Em Penang deu-se um fato único: quando terminou uma conferência especialmente dirigida aos siks, um dos presentes levantou-se e convidou-o para pregar na Gurdvara local. Nessa mesma cidade, após ouvi-lo, o chefe da polícia deu tolerância de ponto a todos os subordinados para que pudessem também escutar a sua mensagem.

Do Estreito subiu à China. Da China passou ao Japão.

Até aqui o sadu era uma figura singular bem conhecida nas estradas do Norte, nas aldeias da fronteira e no restrito círculo cristão do Punjab, onde a sua pessoa era grandemente estimada. Repentina e inesperadamente adquiria projeção mundial e o seu vulto começava a chamar a atenção curiosa da Igreja Ocidental.

A personalidade formada naqueles treze anos silenciosos de serviço intenso falava à Igreja. E a Igreja imediatamente compreendeu que diante dela estava um homem de Deus. Um homem de Deus com a mensagem de Deus.

Dias perigosos. Como observa um dos seus biógrafos, raras vezes a perseguição do mundo é tão prejudicial ao servo de Deus como a adulação da Igreja. Houve mesmo quem temesse tanta popularidade para pregador tão jovem. Mas o sadu permaneceu o mesmo homem modesto, cuja vida se centralizava no Mestre. Em Ceilão estava à morte o filho de um crente. Os médicos haviam-no desenganado. A mãe pediu ao sadu que lhe impusesse as mãos e orasse.

– "As minhas mãos não têm poder – respondeu. – Somente o possuem as mãos feridas de Cristo".

Mas a mulher insistiu e ele concordou em ir ao hospital, onde colocou as mãos sobre a cabeça da criança e orou. Três dias depois o menino estava no recinto das conferências em companhia da mãe, completamente curado.

"Percebi que, embora eu repetisse que quem curara fora Cristo, o povo começava a considerar-me um milagreiro; concluí que não devia fazer isto novamente porque encorajaria a superstição e desviaria a atenção do Evangelho que eu pregava".

Foi sempre esta a sua atitude. Quando, numa sala, alguém o tratava com a consideração que se dispensa a seres excepcionais, ele se retirava, aborrecido. Disse certa vez que não podia tolerar tais néscios. E quando, mais tarde, em Copenhagem, uma dama da alta nobreza lhe pediu que a abençoasse, respondeu-lhe:

– "Não mereço abençoar alguém com estas mãos que já despedaçaram as Escrituras. As mãos de Cristo é que abençoam".

Pregava bem. Alto e simpático, a sua figura empolgava de imediato o auditório, quando se erguia tranqüilamente, com o Novo Testamento nas mãos. E desde o momento em que iniciava a pregação até a ocasião em que se sentava, a assistência permanecia dominada pela mensagem. Tão grande era o seu magnetismo pessoal que, quando certa vez, cansado, pronunciou o período final do discurso e imediatamente se sentou, deixou apenas o intérprete perante a assistência, um bulício inquieto percorreu a sala e não foi possível manter a atenção do povo. Desde então, sempre permaneceu de pé até que o intérprete pronunciasse a última palavra.

A necessidade de ser acompanhado por intérprete tornava-se exaustiva, especialmente para ele, porque, embora falasse com moderação, era homem de temperamento fogoso, apaixonado, a quem era difícil interromper-se, reiniciar mais tarde, interromper-se novamente, como se caminhasse aos saltos, com as pernas amarradas. Impacientava-se quando o intérprete dava longas explicações em torno das suas frases, havendo certa vez pedido a um deles que traduzisse simplesmente o que ele dizia.

Nunca dava à pregação evangélica tom polêmico, embora conhecesse os livros sagrados e os costumes das religiões hindus, que analisa com firmeza num dos seus livros.

Homem em quem a imaginação predominava, partia sempre da ilustração para o enunciado da verdade, dando-a como prova desde o momento em que estivesse convenientemente exemplificada. Quem hoje lê as suas parábolas compreende imediatamente estar em contato com um místico que foi também fino e sensível poeta.

Não costumava escrever sermões. Orava longamente e durante a oração vinham-lhe à mente o texto, o assunto, o desenvolvimento. "Não me sento para escrever os meus sermões. Quando oro, recebo o texto, o assunto, as ilustrações. O pregador deve receber a mensagem do próprio

Deus. Se for buscá-la aos livros não estará pregando o seu próprio Evangelho: pregará o Evangelho alheio. Senta-se em ovos de outrem e choca-os, pensando que são seus..."

Nem sempre levava para o púlpito um assunto determinado, mas nunca pregava sem longa meditação e sem ter em mente um grupo de idéias para o momento, dentre as quais escolheria aquelas que lhe parecessem mais adequadas ao auditório, cuja reação determinava em boa parte o rumo que dava à prédica.

O contato íntimo e contínuo com a natureza fornecia-lhe figuras e parábolas que eram a principal característica das suas palestras, juntamente com os vários e sempre interessantes episódios da sua vida errante.

Dava à oração, em conexão com a prédica, excepcional importância. Em certa convenção hospedou-se com uns missionários no mesmo quarto. De madrugada um deles acordou e viu-o de joelhos, orando. Na Inglaterra ao ter diante de si reunião de grande importância, fez questão de levar o fato ao conhecimento dos amigos na Índia, a fim de que orassem por ele.

Nesse tempo não possuía grande cultura. Mas os livros que se dedicara, como "A Imitação de Cristo" e "Vida de São Francisco de Assis", haviam sido bem aproveitados. A Bíblia era-lhe familiar e também os livros religiosos da Índia. Como todo o seu interesse era religioso, não sentia necessidade de ampliar o círculo das suas leituras, embora aconselhasse os jovens a fazerem cursos e a cultivarem a mente. Contudo, se entendermos por cultura, não o acúmulo de noções, mas a capacidade de observar o mundo, compreender o homem, ter perante o universo atitude definida e certa, resultante de interpretação pessoal da realidade, então o sadu já era homem culto. Palestrou com muitos sábios. Homens de cultura filosófica, científica ou artística ouviram-no pregar. Na Holanda reuniram-se certa vez duzentos homens; a elite cultural de Haia, para ouvi-lo: estadistas, professores, financistas e governantes; em Estocolmo hospedou-o o príncipe Oscar, irmão do rei; na catedral de Upsala teve o arcebispo com intérprete, e nunca qualquer desses homens saiu da sua presença com a impressão de que lhe falara um ignorante.

Quando regressou às montanhas amadas do Punjab, o sadu estava exausto. Aguardava-o, porém, notícia estimulante: Sher Singh convertera-se. Estranho aperto de coração sentiu, quando o pai o estreitou nos braços!

12

Tibete, 1919

"Deixei Kotgarth em princípios de julho, acompanhado por um cristão tibetano chamado Thaniyat. A fronteira dista cerca de 200 quilômetros de Kotgarth e, após pregar em Hirath, Rampur, Bushaher, Goura, Sachan, Chaura, Tranda, Pounta, Hachar, Kodgaon, Karcha e Kemferan, atingimos Yangpa, primeira cidade do Tibete.

"Além do Yangpa, a floresta estende-se por 60 quilômetros, sem aldeias nem casas; de longe em longe vê-se um rebanho de carneiros e o pastor. Ficamos cinco noites nesse deserto dormindo ora sob árvores, ora em cavernas, onde o frio e a altitude baniram as árvores; nesse ponto raramente brota relva; até onde a vista alcança só se vêem montanhas nuas e o planalto.

"A 5200 metros de altitude dormimos completamente desabrigados; o frio era tão intenso que o corpo se insensibilizava e ficamos tolhidos. Durante toda a noite caiu chuva e lá ficamos, num frio atroz, abrigados os dois sob um só guarda-chuva. Lugar extremamente perigoso aquele; muitas pessoas pereceram ali na neve.

"A 15 de julho atingimos a aldeia tibetana de Mudh, cujo chefe nos recebeu bondosamente; à noite convidou um lama importante para jantar conosco; conhecia o hindustani, e pregamos a Palavra; escutou com grande atenção e prazer e não impediu pessoa alguma de vir também ouvir. No dia seguinte atingimos Taling e Sangnam, de onde continuamos para Inamb, Kveling, Kuring e Saling, e além, até Sideng, Sara, Koze e Rangrig, pregando em todos esses lugares.

"Fomos depois a Koo Gunra onde existe um grande templo junto ao qual há um mosteiro com cerca de 400 lamas, cujo chefe viera diretamente de Lhasa. Embora ligado com Lhasa, esse chefe fora indicado pelo tashi-lama. Estivemos dois dias na sua companhia; deu-nos algum trabalho, embora tivesse muita vivacidade para discutir religião conosco.

"As dificuldades e trabalhos que se nos deparam no Tibete não são apenas de um, mas de vários tipos. Não há estradas; embora o número de correntes de água seja grande, não existem pontes para transpô-las, e são geladas. Onde a água era mansa conseguíamos atravessar nadando, mas às vezes a corrente era tão forte, o leito do rio tão inçado de pedras que se tornava impossível nadar. Um dia em que atravessei nadando o rio Morand cheguei à outra margem, após grande luta, com o corpo insensibilizado pelo frio de gelo. Em Thaniyat caí e três vezes a água me arrastou para o fundo; foi com grande dificuldade e esforço que me livrei. Muita gente já morreu afogada nesse rio.

"Outro problema é o do alimento. Há lugares sem nada para comer além do sampa, ou sattu (cevada torrada) e uma espécie de chá misturado com sal e manteiga. Várias vezes o sampa era tão ruim que dificilmente o comeriam os cavalos ou os burros. Mas em tudo isso tínhamos o conforto de saber que era a cruz de Cristo e que trabalhávamos para a salvação das almas. Cristo deixara o Céu por mim e se colocara sob o peso da cruz, de sorte que eu tinha obrigação de deixar a Índia e penetrar no Tibete em seu nome para chamar a Ele as almas; cumprida essa obrigação, não teria eu praticado grande proeza, mas se a ela me esquivasse seria horrível, pois a ordem vinha de Deus.

"As casas tibetanas são muito.pequenas e sujas, feitas de pedra e barro; o cheiro do povo é insuportável. Na aldeia de Lara vi um homem completamente negro de sujeira; tenho a impressão de que nos últimos quinze anos não soubera o que fosse um banho. As roupas, embora feitas de lã brança, ficam como couro negro, de sujas, porque nunca as lavam. Em Kiwar, quando estávamos lavando a nossa num riacho, vieram todos contemplar o espetáculo, entre divertidos e escandalizados. Um lama de importância comentou: 'Gente à toa pode lavar a roupa, que não é nada de mais; mas para pessoas sensatas não convém'.

"Apesar de ter sido a viagem repleta de empecilhos, foi a mais fácil que fiz. Em alguns pontos os lamas receberam-nos bem, deram-nos chá salgado e sampa. Certa vez perceberam que o meu cabelo, muito crescido, incomodava, e, como não tivessem tesoura, quatro lamas reuniramse, apanharam o instrumento com que costumavam tosquiar as ovelhas e com ele mo cortaram.

"De Kiwar dirigimo-nos a Chikan e dali a Skite, Hause, Sasar e Pangre, e tivemos oportunidades felizes para pregar, mas os povoados eram muito distantes e o banditismo comum assustáva-nos. Um bom amigo disse-nos: 'O senhor não pode viajar assim, sem espingarda ou faca, por aqui; muita gente já foi assassinada nesse caminho'. Respondi: Levo apenas a minha roupa e a Bíblia – que é a espada de Deus – e vai comigo o Senhor da Vida, o qual me protegerá. Graças a Deus atravessamos aqueles lugares terríficos, pregando entre assassinos sem incidente algum. Vi homens a quem bandidos e ladrões haviam cortado as pernas ou os braços; mas Deus com o seu grande poder conduziu-nos em segurança.

"Superlativamente sujos, ignorantes até a estupidez, contudo os tibetanos são profundamente religiosos. Há distritos onde o costume é ficar o filho mais velho em casa para dirigir a propriedade e serem os demais consagrados à vida monástica. Alguns escrevem em papel ou couro textos dos seus livros sagrados (108 volumes chamados Khangiryur tangiryur) e os penduram como bandeiras no teto da casa. Costumam também escrever as palavras *Om Mane Padme Hum* muitas vezes no papel e colocá-las numa roda de metal que giram, giram... Outros fixam-nas nos moinhos, escrevendo-as na pedra, que roda incessantemente. Tais são as orações pelas quais esperam atingir o perdão dos pecados e obter bênçãos do Céu.

"No que diz respeito à divindade, nada sabem de verdadeiro. Têm na sua religião um simulacro de Trindade – Sangi Kunchek ou Deus; Lama Kunchek ou Deus Sacerdote e Chho Kunchek ou Deus Escrituras. Foi mais ou menos em 629 d.C. que o budismo penetrou no Tibete, no tempo do rei Shang Taing Suganpo e o lamaísmo foi fundado em 749 por Padmasambhave, que organizou o primeiro mosteiro perto de Lhasa.

"Em 1640 o Tibete foi conquistado por um príncipe mongol, Gusari Khan, o qual deu ao grande lama do mosteiro de Drepung o título de Dalai – Oceano; e assim se tornou ele o primeiro rei-sacerdote, com o nome de dalai-lama. Chamava-se Magwan Lobang. Muito ambicioso, queria combinar o governo civil com o eclesiástico e declarou-se encarnação do famoso Cherenzing Avalokitesvara, divindade tutelar do Tibete. Indubitavelmente os tibetanos deram-se bem com a idéia de serem regidos por uma encarnação de tal divindade, e o sistema funcionou admiravelmente; para não melindrar o lama de Troshi Shumpho, mais antigo e, em certo sentido, superior, o dalai declarou que ele era encarnação de Amitabha. E assim ficaram: o dalai-lama como encarnação de Avalokitesvara e o tashi-lama como encarnação de uma divindade superior mas impassível, que não se interessa por coisas deste mundo as quais ficam a cargo do seu filho espiritual Avalokitesvara...

"Dentre os eremitas tibetanos muitos têm uma vida extraordinária. Trancam-se num compartimento trevoso. Há os que fazem isso durante alguns meses; outros, por anos; e ainda outros durante toda a vida. Trancam-se tão cuidadosamente que nunca vêem o sol, nem saem, mas ali ficam, sentados na escuridão, girando a roda de rezas, como se estivessem numa sepultura. Há, dando para o exterior, uma janelinha ou melhor, um buraco por onde o povo passa o alimento. Tentei várias vezes entabular conversação com eles, mas nunca o consegui; o mais que pude fazer foi atirar pela abertura porções da Palavra de Deus, na esperança de que as lessem, se algum dia se desemparedassem.

"Aprendi com eles uma lição: se sofrem tanto para atingir o Nirvana onde não há vida futura, nem felicidade celestial, nem qualquer esperança - na crença de que a salvação consiste no aniquilamento dos desejos, do espírito e da vida - com quanto maior entusiasmo não devemos nós carregar a cruz de Cristo, lembrando-nos da felicidade da vida eterna e da grandeza do trabalho que ele realizou por nós, o qual nos dá e dará todas as coisas?

"A neve e o frio intenso não permitem que se faça mais de uma colheita por ano. Semeia-se em maio e colhe-se em setembro. Em certos lugares planta-se trigo. Em outros, mostarda. Há trechos de mata que ficam lindos, quando floridos; às vezes encontra-se cebola selvagem e mesmo grama. Mas infelizmente os costumes do povo são tremendamente degradados - tanto que nem é possível dizer aqui.

"Estivemos também noutros lugares pregando ao povo; voltamos por caminho diverso, passando por Kyamo, Hal Maling, Khurik, Sumling, Phiti e Boldar. O meu desejo era ir sozinho a Kailash e a Rasar, mas este ano a minha viagem ao Tibete começou muito tarde. Entre 30 de julho e 9 de agosto aquele lado das montanhas cobre-se de neve espessa; embora algumas correntes fiquem fáceis de transpor - porque sobre elas se estendem pontes de gelo - as demais são dificílimas: é quase impossível atravessá-las a nado, o que torna a volta muito problemática. Queira Deus que no próximo ano eu possa ir em abril. Se tivesse ficado até setembro, as fortes nevadas barrariam o caminho; em outubro seria totalmente impossível regressar à Índia.

"Fiz a viagem em cerca de quarenta e oito etapas no interior do Tibete - 16 quilômetros por dia. Gostaria de me referir mais pormenorizadamente a cada local onde estive, mas de momento não tenho tempo senão para este rápido resumo. Os cristãos que residem no Tibete e na fronteira estão bem, pela graça de Deus. Em Tsering há um rapaz que conhece muito bem o hindustani; queria vir comigo, mas a mãe não lhe permitiu. Espero que isso seja possível para o ano, a fim de ele receber melhor instrução e regressar como pregador; se isso se der, a semente lançada durante esta viagem não terá sido vã e, por sua graça, em tempo oportuno produzirá frutos. Amém".

13
A Igreja do Ocidente

Muitos motivos atuavam na mente do sadu, tendentes a levá-lo ao Ocidente.

Sempre desejara conhecer a Palestina. Palmilhar as estradas por onde Cristo andou chegou a ser para aquele imitador literal de Cristo quase uma obsessão. Fizera anteriormente uma tentativa de embarcar para a Palestina, mas não lhe fora concedido o passaporte; amigos mais práticos nos meandros da burocracia afirmaram-lhe que seria fácil obter passaporte para a Inglaterra e dali para a Palestina.

Além disso, dizia-se que a Igreja do Ocidente renegara a Cristo, prostrando-se ante Mamom, e ele desejava verificar por si mesmo a realidade. Era também necessário que o Oriente cristão fizesse ouvir a sua voz para contrabalançar o efeito do ensino dos swamis que espalhavam doutrinas teosóficas nos países ocidentais, com facilidade resultante em parte do encanto que o Oriente sempre conservou aos nossos olhos de gente prática ou pretensamente prática.

Já havia feito referências a esse projeto da viagem, em palestra com amigos; mas as referências tinham sido muito vagas e imprecisas. Um dia, quando orava, veio-lhe à consciência que devia estender a sua mensagem ao Ocidente. O velho Sher Singh, informado do desejo do filho, com prazer retirou dos seus cofres o dinheiro necessário para a viagem. E assim, quase repentinamente, o sadu Sundar Singh partiu de Bombaim, em janeiro de 1920, a bordo do "City of Cairo", com o propósito de pregar no Ocidente. Os amigos, aturdidos, mal tiveram tempo de pensar num programa de trabalhos ou em apresentações. As cartas que enviaram à Inglaterra saíram depois do barco que o levava.

Sem dinheiro no bolso, sem programa definido, com dois ou três antigos missionários a quem conhecera na Índia como únicos amigos na Inglaterra, sem meios de ganhar a vida, esse estranho pregador tomou o rumo das terras onde a língua humana possui som metálico. Tão despreocupado do próprio sustento como as aves do céu ou como os lírios do campo.

Essa viagem fez época no mundo cristão ocidental. Os grandes templos da Inglaterra, da Escócia, da Irlanda, dos Estados Unidos e da Austrália foram pequenos para conter as multidões que o procuravam; houve ocasião em que teve de repetir o sermão ante nova massa humana, depois que o primeiro auditório se retirara. Os jornais das maiores cidades do mundo consagraram-lhe as melhores páginas, noticiaram o seu trabalho e pediram-lhe opiniões em entrevistas disputadas. Os grandes pregadores do Ocidente cederam-lhe os seus púlpitos e apresentaram-no ao povo

Contudo, o homem assim incensado completou apenas 31 anos de idade, ao encerrar a volta ao Globo, quando se detinha na cidade australiana de Adelaide.

Pregara quase diariamente durante nove meses – às vezes duas vezes por dia, e mesmo a borbo, em língua estranha, visto que falara em inglês, e a povos estranhos.

Havia em Sundar Singh qualidades que obrigatoriamente encantariam os anglo-saxões: era um homem bravo, sadio, simpático e idealista. Seu vulto atraía imediatamente. "A very striking figure", repetiu Stanley Jones quatro vezes, com a saudade boiando nos olhos azuis, quando conversou comigo a respeito do sadu.

Um homem que havia sofrido e estava pronto a sofrer ainda pela sua religião, obrigatoriamente conquistaria o coração dos descendentes dos Pais Peregrinos e dos Covenanters.

São geralmente as pequeninas fraquezas ou as qualidades menores e menos importantes do homem as que primeiro nos impressionam: deu-se tal com o sadu. Os jornais da época anotavam insistentemente o embaraço com que ele exibia nas ruas movimentadas de Londres, de Birmingham, de Glasgow, de Nova Iorque, São Francisco ou Melbourne a sua longa veste amarela de sadu e seus pés descalços, sob os olhos pasmados e incomodativos dos transeuntes; ou insistia no seu desejo de andar descalço no asfalto londrino, somente cedendo à necessidade de calçar sandálias quando lhe observaram que iria causar transtornos às donas de casa, entrando pela sala com os pés úmidos ou empoeirados e manchando o assoalho – um perigo inexistente no Tibete, onde o chão batido das casinholas não se ressentia do contado dos seus pés calejados. Não apreciava os transportes coletivos, nos quais o homem se abandona passivamente à iniciativa do motorista e, por isso, sempre que podia, andava a pé. Era hóspede gentil e amável, acomodado a tudo, de palestra viva e simples, temperada de bom humor.

Em Birmingham visitou uma fábrica de chocolate; perguntaram-lhe mais tarde se se divertira.

– Diverti-me, mais creio que as moças e os homens de lá se divertiram muito mais, só de me olharem.

– E por que não cobrou o espetáculo?

– Cobrei. Mas pagaram com chocolate e fiquei de tal maneira que nem jantar pude...

Noutra ocasião uma senhora ingenuamente perguntou-lhe se nos caminhos de ferro indianos não havia muito perigo de serpentes.

– Não, minha senhora – respondeu. As serpentes da Índia não viajam; nem de primeira nem de segunda classe...

E deu gostosa gargalhada, sendo acompanhado pelos demais e pela própria interlocutora.

Entre os aspectos da personalidade do sadu que cavaram mais profundo sulco na alma cristã do Ocidente convém salientar três – o universalismo da sua religião, o seu conceito de sofrimento e a sua semelhança espiritual e física com Cristo – de conformidade com a figura que de Cristo compôs a nossa imaginação.

Dividido em grupos eclesiásticos que se guerreiam surda ou abertamente, o cristianismo ocidental nunca perdeu, contudo, a sede de unidade cristã – daquela unidade que cumpre a prece de Cristo e que essencialmente existe, visto que a Igreja é o Corpo de Cristo. A expressão orgânica e organizada dessa unidade tem sido prejudicada por vários fatores. Por isso mesmo a alma cristã recebeu alvoroçada a mensagem de um cristão que, respeitando embora a autoridade eclesiástica, não conhecia denominações cristãs, mas a Igreja de Cristo, e se sentia tão à vontade entre batistas como entre congregacionais, ou anglicanos, ou presbiterianos. Desse ecumenismo do sadu, que respondia ao anseio de milhões no mundo todo, surgiram resultados inesperados: em Melbourne pregava ele na igreja congregacional – auditório ansioso, recinto repleto. Sobem ao púlpito, o pregador, o pastor e uma pessoa mais. Sussurro de surpresa no auditório, que arregala os olhos, incrédulo. É que vai presidir à reunião o bispo anglicano – e nunca nessa cidade um bispo anglicano condescendera em presidir ou mesmo participar como simples ouvinte em reunião de igreja não conformista.

Verificou-se, também, num cristianismo em que se ensinava a resignação ao sofrimento por amor de Cristo ou em que se ajeitavam as palavras de Cristo a respeito da cruz para adaptá-las a uma vida mole de religiosidade barata, que o sadu não se conformava com o sofrimento, propriamente: tinha prazer nele; isto soava como paradoxo aos ouvidos de uma civilização dirigida em todos os seus pormenores para a eliminação da dor e de qualquer padecimento. Ali estava um homem que caminhava conscientemente para eles – porque os suportaria no serviço de Cristo; não se tratava da morbidez medieval, mas de um sofrimento produtivo; um martírio, se nos lembrarmos do sentido inicial da palavra grega. Já foram mencionadas várias ocasiões na vida do sadu em que se evidenciou esta feição do seu caráter.

Um dos seus amigos, escrevendo mais tarde um livro de recordações referentes a ele, deu-lhe este título: "Sadu Sundar Singh, o homem que se parecia com Cristo". Os repórteres que o entrevistaram imediatamente anotavam a impressão de semelhança, acentuada pelos traços nobres do rosto, pelo porte majestoso e pela bondade dos olhos negros e pensativos. Pequenos incidentes focalizam bem essa impressão ocidental ao defrontá-lo:

Certa vez, na Inglaterra, prometeu uma visita, e dirigiu-se na hora marcada à casa da pessoa a quem ia visitar. Atendeu à campainha uma empregada vinda poucos dias antes da aldeia. O sadu deu o seu nome e ela correu para a patroa:

– Lá fora está um homem procurando a senhora; o nome é uma embrulhada que não se entende, mas o aspecto dele faz pensar que bem pode ser Jesus.

Noutra ocasião hospedou-se em casa de um velho amigo, o qual o deixou por alguns minutos na sala em companhia de dois filhinhos gêmeos, de cinco anos. Ao voltar, Sundar estava com as mãos no assoalho, com as duas crianças nas costas, e os três riam às gargalhadas. No dia seguinte saíram bem cedo. Quando os meninos se levantaram a primeira coisa que perguntaram à mãe foi:

– Mamã, onde é que Jesus foi?

Em Lake George, nos Estados Unidos, falando a numeroso auditório, teve a ouvi-lo numa das primeiras filas um menino de cerca de quatro anos, que não desviou os olhos do seu rosto durante toda a prédica. Terminado o sermão, sentou-se. E, no silêncio absoluto e reverente, palpitou, clara e eletrizante, esta pergunta feita por uma vozinha infantil:

– Este homem é Jesus?

O Ocidente também o impressionou; observou, desde a Inglaterra, que a nossa civilização é uma civilização dividida, que tem nome de cristã, embora seja em essência materialista. Abriga, porém, no seu seio vigorosa comunidade cristã. A vida no lar evangélico impressionou-o fortemente. Percebeu que no seio da família desaparecia o bulício da rua, sendo o lar dominado por uma paz tanto mais comovente quanto maior era o contraste com o mundo exterior; mas apesar disso sentiu que a Igreja do Ocidente não dedica à meditação e à comunhão com Deus o tempo necessário. Não nos esqueçamos de que para ele longa e ininterrupta meditação era tão vital como o respirar; quando foi obrigado a passar várias semanas pregando sem cessar e o tempo lhe faltou para a comunhão com Deus, sentiu-se asfixiado e teve de cancelar trabalhos em perspectiva, a fim de passar alguns dias na presença de Deus.

A 25 de setembro desembarcou em Bombaim. Já não era apenas um entre centenas de sadus das estradas do Norte. Era uma personalidade mundial; seu horizonte geográfico expandira-se. Tinha diante de si um ministério "amplo".

Após algumas semanas de descanso, em que escreveu sermões e meditações, tomou a vereda da montanha, cruzou os passos sempre nevados que a ventania fustiga sem cessar e penetrou desconhecido no Tibete.

14

Diário do Tibete - 1921

"Em princípio de maio, saímos de Kotgarh, via Simla e Sabatu, rumo ao Tibete. São perto de 240 quilômetros, a partir de Kotgarh. Em Kulu tivemos ocasião de pregar e distribuir trechos do Evangelho entre viajantes e aldeões.

"No distrito de Kulu há várias fontes termais; algumas são boas para banhos, outras demasiado quentes - tanto que a água quase ferve. Os viajantes costumam envolver o arroz em panos e colocá-lo nessa água. Quinze minutos depois está cozido. Houve uma criança que caiu numa das fontes: poucos minutos depois retiraram-na morta.

"260 quilômetros além de Simla está o Passo de Totang, a uns 4620 metros de altitude. Passagem perigosa que os viajantes nunca atravessam antes de 15 de maio. Sete meses no ano a estrada fica impedida pela neve; depois do meio-dia começa um vento fortíssimo que atira ao precipício quem se encontrar desabrigado. Ali perderam a vida centenas de pessoas e de animais. Poucos quilômetros adiante estão as nascentes do Beas, um dos cinco grandes rios do Punjab. Conta-se que um santo hindu, compilador dos Vedas, passou vários anos em oração e meditação nesse lugar.

"Foi muito difícil cruzar o Passo, a 30 de maio. Fizemo-lo sob a neve que caía, frigidíssima. O vento cortante insensibilizava-nos a pele, mas graças a Deus conseguimos atravessar com vida. Naquela região as geleiras são perigosas. Houve uma aldeia que ficou totalmente sepultada, morrendo todos os habitantes.

"Vencido o Passo, atingimos Khaksar, de onde fomos a Sissu, Gandhal e outras aldeias, sempre pregando; assim chegamos a Kyeland, uma das três estações missionárias dos morávios nas imediações do Tibete.

"Há ali perto cerca de quarenta cristãos ladakhis e tibetanos; estão a 320 quilômetros de Simla, e, desde a guerra, não têm com eles missionário europeu algum. Tivemos boa reunião, com cerca de trinta pessoas.

"Nesse lugar foi cortada há tempos uma árvore sob a qual se ofereciam sacrifícios humanos. Eis a maneira como isso se deu: Morava ali uma viúva cujo único filho tinha cerca de oito anos. Chegou a vez de sacrificá-lo e o lama - sacerdote budista - ouvindo-a chorar, disse: 'Não chore. Vou entregar-me para ser sacrificado em lugar do seu filho'. No dia marcado para a cerimônia o povo encontrou-o sob a árvore. Voltando-se para eles, disse: 'Não me toquem. Se estes deuses são verdadeiros, que venham eles mesmos e me despedacem'. Esperaram muito tempo e, como nada acontecia, tanto o lama como o povo perderam a fé nos sacrifícios humanos.

"Entrei no Tibete por outro caminho, acompanhado de duas pessoas, uma das quais tibetana e cristã. Tivemos boas oportunidades de pregar o Evangelho no Tibete Ocidental e distribuímos à farta trechos das Escrituras. Visitamos trinta e sete cidades e aldeias, inclusive Chuprang, Gnanama e Rukhsahak. Embora alguns dos lamas se opusessem, o povo sempre nos ouviu de boa mente. Visitamos também mosteiros e grutas, e os monges e eremitas prometeram ler as Escrituras que lhes demos, embora não gostassem que nos demorássemos com eles mais de quinze minutos.

"Não é seguro nem fácil viajar no Tibete. Faltam estradas e a população é muito esparsa. Andam-se 90 a 100 quilômetros sem se encontrar uma aldeia; as únicas pessoas que vivem nesse deserto são ciganos que dormem em tendas e cavernas e ganham a vida roubando os viajantes. Encontram-se também lobos e iaques selvagens, que já tiraram a vida de muitos. Certa vez eu adiantei-me aos companheiros. Quando o percebi, um iaque selvagem galopava sobre mim. Infelizmente não havia ali árvores para onde pudesse subir, apenas uma grande rocha; corri e fui sentar-me no alto. A fera rugia em torno, mas não podia alcançar-me. Dei graças a Deus por esse lugar seguro. E pensando na Rocha dos Séculos, o meu coração encheu-se de maravilhosa paz. Quando os meus amigos viram o iaque, começaram a gritar e, ouvindo-os, uns ciganos que acampavam nas proximidades vieram espantar o animal a pedradas. Resolvemos passar a noite com eles, apesar do perigo – porque o homem, quando mau, é pior do que as feras. Tiraram-nos à força aquilo que levávamos, mas graças a Deus não nos mataram. Eu disse-lhes: "Vocês tiraram-nos tudo; mas ainda temos algo a dar-lhes" – e comecei a pregar. Ouviram atentamente e, operando o Espírito Santo nos seus corações, muito se comoveram. Pediram-me que lhes perdoasse o roubo e devolveram tudo que nos havia tirado.

"Surgiu, porém, outro problema: fizeram para nós chá com manteiga e sal – em lugar de leite e açúcar – e quando um deles veio servir-me, pedi liçença para primeiro lavar a xícara. Respondeu-me:

"– Isso, não; o senhor é hóspede de honra, não lhe podemos permitir isto. Eu mesmo lavo.

"Deitou para fora a sua língua e começou a lamber o fundo da xícara (língua tão comprida que atingiu o fundo). Acabada a limpeza, encheu a xícara e entregou-ma. Lavei-a, depois de atirar fora o chá. Ficou abismado, e o meu companheiro tibetano teve de explicar que os hindus têm o costume de lavar as mãos e as vasilhas antes de comer! A resposta do cigano foi que isso é idiotice, porque em tal caso seria preciso lavar também o estômago diariamente...

"Bebemos então o chá com sampa – a cevada torrada – e, após orarmos, fomos dormir, exaustos. Na manhã seguinte ainda falamos a respeito do Salvador e, depois de orarmos com eles, reiniciamos a marcha, em direção a uma aldeia distante quarenta e oito quilômetros.

"Enquanto trabalhava pelas aldeias, viajantes contaram-me que um crente de nome T. Wangdi, a quem eu batizara tempos atrás, tinha morrido e, que, depois da sua morte, os demais cristãos do lugar haviam-se espalhado. Notícia triste – mas seja feita a vontade de Deus. Creio que em tempo oportuno Ele levantará cristãos fiéis, a fim de trazerem esta terra negra e encarcerada aos pés de Cristo. Peço a Deus que faça frutificar, com a salvação de muitos, o trabalho feito para sua glória. Amém".

15

De Volta ao Ocidente

Quando a Bíblia fala de cristãos decadentes como pessoas que perderam o "primeiro amor", registra a existência do fenômeno religioso que acompanha o místico através da existência. Quando um adolescente encontra a pessoa que lhe domine o coração, todas as coisas relacionadas com essa pessoa parecem-lhe merecedoras do mesmo afeto: casa, livros, parentes. É o "primeiro amor".

Sundar Singh foi homem apaixonado por Cristo – homem que, em lugar de perder o primeiro amor, sentia aumentar a paixão espiritual pelo seu Redentor à medida que corriam os anos.

Por isso nunca o abandonou o desejo de percorrer na Palestina as estradas que Cristo palmilhara e de conhecer diretamente os lugares da Sua agonia.

Na primeira viagem ao Ocidente esse desejo fora importante para impulsioná-lo, mas ficara insatisfeito. Em 1922 os convites para voltar aos países europeus onde já estivera e a outros que não conhecia ainda, avivaram a esperança de conseguir passaporte para a Terra Santa. Desceu a Bombaim e afinal recebeu o passaporte desejado. Sher

Singh novamente cobriu as despesas de passagem e o sadu, após alguns dias passados em companhia de Gandhi, que o convidara, embarcou para o Egito, de onde seguiria para Canaã.

Surgiu, afinal, aos seus olhos o país desejado.

Multidões árabes dos infectos bazares de Jerusalém; caravanas acampadas nas praças; soldados coloniais ingleses suarentos e vermelhos; velhas locomotivas resfolegantes – coisa alguma da Palestina moderna feriu a retina do sadu. Andou por aquelas terras embebido na vida e nos passos de Cristo. E as horas de oração passadas no Monte das Oliveiras e no Getsêmani foram, de acordo com as suas palavras, de grande influência na sua vida interior, reforçando mais a consciência da presença de Cristo em sua vida.

Esses dias de recolhimento eram necessários para a longa campanha que tinha pela frente. Foi a mais extenuante das suas séries de conferências. Faremos breve menção do itinerário, para que se tenha a idéia da reserva de energias que despendeu: iniciando o trabalho em Marselha, passou a Lausana, a 27 de fevereiro, no dia seguinte pregou ao ar livre em Bienne; depois em Tavanne, onde o povo o aguardava, vindo aos milhares das aldeias vizinhas, sob a neve; cederam a Sala da Reforma, em Genebra, para o seu trabalho: era a sala onde se reunia a Liga das Nações; 200 pastores acorreram, das cidades e aldeias próximas, a fim de ouvi-lo. Em Neuchatel, mais de 10 000 pessoas o esperavam. Basiléia, Zurique, Berna, Thun, St. Gall... Penetrou na Alemanha, deteve-se em Wittenberg registrando em notas de viagem a estada nessa cidade, de modo especial; Halle, Leipsig, Hamburgo, Berlim, Kiel. Multidões de camponeses, operários, universitários, professores; catedrais famosas, salas em que haviam soado nos momentos decisivos da História vozes mundialmente célebres. Dias caleidoscópicos, atordoantes, penosíssimos para um homem que considerava a calma e a meditação elementos vitais na existência. Passou apenas 10 dias na Noruega; na catedral de Upsala teve o arcebispo como intérprete. Em Estocolmo hospedou-o o príncipe Oscar. O homem que, na adolescência, se vira atirado à rua e tiritara sob uma árvore, era agora abrigado no palácio real, fato que em nada o impressionou. "Eu sempre vivo na companhia do Príncipe da Paz".

De 100 quilômetros ao redor vinha gente para as reuniões. Um contemporâneo comenta: "Nunca se viu coisa igual anteriormente. Comboios especiais eram lotados, dirigindo-se ao ponto em que ele se encontrasse. Horas antes de se iniciar a reunião, estivesse o tempo bom ou mau, a multidão aguardava a sua chegada."

Quando atingiu a Dinamarca, estava exausto. E sempre o povo se acotovelava, sedento de ouvi-lo, cobrindo praças, subindo às árvores, aos telhados das casas, como uma nuvem de gafanhotos. Da Dinamarca passou à Holanda.

Sua resistência física e nervosa estava no fim; o método fora o mesmo de sempre: uma conferência por dia no mínimo e às vezes duas ou três; poucas coisas acarretam tão grande tensão nervosa como pregar a multidões desconhecidas que manifestam sede de ouvir. Além disso, a garganta do sadu não resistia mais.

Por essa razão, na Inglaterra, só se desincumbiu dos compromissos anteriormente assumidos, e não aceitou convites para novos trabalhos.

A 28 de julho embarcou para a Índia. Após algumas semanas de tranqüilidade nas montanhas, passou a atender a convites para convenções e congressos evangélicos nas grandes cidade do Norte: Deli, Ambala, Ludiana, Alaabad, Benares, Montgomery, Lahor...

Depois voltou às aldeias e à vida errante de sadu cristão.

16
O Desejo de Partir

Em abril de 1923 o sadu penetrou uma vez mais em Rampur. Cruzou as ruas poeirentas, deixou para trás a Gurdvara e o bazar ruidoso e apontado por aldeões que o conheciam, entrou na velha mansão da família.

Notou que seus irmãos vigiavam constantemente o velho sardar e logo compreendeu o motivo dessa carinhosa solicitude: os dias do seu pai estavam contados.

Quando regressou aos montes de Simla, onde residia na casa de Sher Singh, já estava consolado da perda certa. É que ele também se inclinava rapidamente para a sepultura e a separação seria breve. O coração traía-o; às vezes tinha vertigens. Dores estranhas o feriam, uma ou outra vez, e o corpo já não tolerava as distâncias da Grande Estrada. Estava velho aos 34 anos.

Impedido de viajar, resolveu condensar em livros a mensagem, que assim percorreria o mundo. Trabalhando intensamente durante 12 dias escreveu em urdu "Realidade e Religião". É um pequeno volume de meditações escrito por um pregador: os pensamentos tumultuam, vigorosos e sinceros, embora nem sempre expostos em ordem.

Tentou novamente pregar, no ano seguinte; atendeu a convenções, fez séries de conferências.

Mas um dia a vertigem o acometeu e caiu no púlpito, ante o auditório consternado. Cólicas insistentes maltratavam-lhe as entranhas. Pensava ele que fosse dos pulmões, embora os amigos afirmassem que o seu mal se localizava no estômago. De qualquer forma, um abutre desapiedado roía-lhe as vísceras.

Sher Singh morreu em abril desse ano e legou-lhe a casa onde ele estava. Aguardaria a morte ali?

Desejava morrer no Tibete. Seus ossos sentiam saudade da neve que fustiga os viajantes junto aos passos do Norte.

Tentou a viagem, pouco depois de morto o pai.

E em junho escreveu a um amigo: "Meus pulmões não me permitiram cruzar as montanhas. Tive de voltar".

Regressava gasto e velho. O vigor antigo desertara totalmente e apenas os olhos, profundos e ardentes, atestavam que a vida espiritual não desmaiara também. Todavia, mesmo pelos olhos passava às vezes uma nuvem de misteriosa tristeza.

Iniciou uma viagem pelas aldeias próximas de Sabatu; surgiu-lhe uma úlcera na vista, e teve de voltar. Era como se uma brasa ardesse no globo ocular. Amigos levaram-no ao especialista que o operou. Inutilmente: perdeu aquela vista.

Desde então consagrou-se quase exclusivamente ao estudo e à meditação. Estudou obras de divulgação científica e de psicologia. Assimilava rápida e seguramente o que lia, pontilhando as margens dos volumes de observações e notas a lápis. Livros de místicos ou referentes ao misticismo eram os seus prediletos. Madre Juliana, Swedenborg, Raimundo Lulio. Especial atenção mereceu-lhe William James no seu "Varieties of Religious Experience", onde há um notável capítulo sobre o misticismo.

Escreveu outros livros. Nota-se nos últimos a influência da leitura intensiva - não propriamente sobre as suas idéias religiosas, que já eram lúcidas e profundas, mas sobre o método literário. Tome-se "The Search After Reality", por exemplo. É uma apologia do cristianismo, feita em seguida à análise das grandes religiões indianas: Hinduísmo, Budismo e Maometismo. O assunto vem exposto com método. Escrito embora com vigor, já não se vê neste livro aquele tumulto borbulhante de orador apaixonado.

Sua correspondência era grande, sendo-lhe dirigidas cartas dos quatro cantos do mundo.

No decorrer dos anos formara-se ao seu redor um círculo de amigos, que agora não lhe faltavam. Missionários e pastores indianos, estudantes e professores, revezavam-se todos nas visitas à sua casa, onde moravam também os catequistas do leprosário de Sabatu. Esses amigos faziam às vezes comovedoras tentativas de auxiliá-lo. Um dia, após uma representação teatral, o jovem Lala Khub Ram chegou a sugerir:

– Para ter melhor saúde e mais conforto deveria casar-se, Saduji. Assim, ser-lhe-ia possível descansar.

Sundar Singh sorriu, agradecido, e respondeu:

– O meu único descanso possível está no túmulo, Lalaji.

Em abril de 1920 tentou novamente transpor a cordilheira, para pregar no Tibete. Além de Hardvar, mãos compassivas ergueram-se da estrada onde seu corpo jazia inerte e o levaram de volta a Rishi-Kesh. O sangue que vomitara formava na estrada uma poça sinistra.

Passava agora os dias no quarto, sentado, orando ou escrevendo. Às vezes caía em êxtase e todas as suas dores se apagavam ante a visão gloriosa.

Em frente estava a janela aberta para o Himalaia. Atrás das montanhas, o Bothyal. Quisera dar a vida por aquele país, no serviço do Mestre. Contemplava demoradamente a Cordilheira, que o chamava como uma noiva envolta no claro véu. Sua noiva era a morte. Se Deus lhe permitisse morrer pregando!

A primavera chamava-o. Era a época em que se abria a rota do Tibete. Não se conteve.

A 13 de abril de 1929, o senhor Watson, superintendente do Leprosário de Sabatu, surpreendeu-se com a sua visita. Estava arquejante, da breve caminhada. Anunciou o propósito de atingir o Tibete, pela "Estrada do Peregrino", e de maneira alguma atendeu aos conselhos do amigo.

Resolvera ir. Poderia o irmão Watson cuidar da sua correspondência dando resposta às cartas urgentes? Não, não pretendia ficar. Voltaria. O testamento? Apenas uma precaução natural em quem corre riscos. Sim, sabia que estava jovem. Voltaria.

Watson acompanhou-o até a porta, seguido de Sanu Lal, pregador do leprosário. Estreitou-lhe a mão, pesaroso, e permaneceu na soleira, contemplando distraidamente os dois cristãos hindus que se afastavam sob o sol claro da primavera, na estrada de Kalka.

Meia hora depois Sanu Lal regressou: o sadu prosseguira para a estação, onde embarcaria com destino a Rish-Kesh. Ali tomaria a "Estrada do Peregrino", em companhia de mercadores tibetanos com quem anteriormente se entendera por carta.

O missionário ouviu-o pensativamente.

***

Foi Watson o último cristão europeu que viu sadu Sundar Singh. Por mais que o buscassem, desapareceu sem deixar de si vestígio algum.

Parábolas de Sundar Singh

Um homem apanhou um rolo de corda muito emaranhado e tentou desenleá-lo. Gastou horas nessa ocupação. O seu filho pequenino, observando-o, tomou outra corda, prendeu-a numa árvore e fez um laço na extremidade. Depois colocou o pescoço no laço e enforcou-se, enquanto o pai lidava para desenlear o rolo. Quando a mãe viu aquilo, correu ao local, gritando.

– Desgraçado... a criança está a morrer! Em lugar de a salvares, desembaraças os nós que há na corda.

Mas o filho estava morto.

É o que acontece com as vãs especulações. O tempo que se gasta com elas poderia ser usado para salvar milhões de almas que perecem.

Certa ocasião em que eu falava do poder dado por Cristo e da paz que o acompanha, um erudito professor perguntou-me como podia eu ter certeza de que essa paz era um dom real de Cristo e não resultado apenas do meu próprio pensamento e imaginação. Respondi que, se fosse resultante de pensamento meu, seria o caso de serem os psicólogos – pois que estudam o pensamento e suas leis – os primeiros a experimentá-las, mas que não era isso o que acontecia. Lembrei-me de um mendigo cego que certa vez foi visto sentado, aquecendo-se ao sol e gozando o seu calor; quando um dia lhe pediram a sua opinião sobre o Sol, respondeu que tal coisa não existia. Essa história de uma grande bola pendurada no céu é absurda, disse ele. O calor que sentia vinha do seu próprio sangue e não de fora. Perguntei ao professor que pensava desse homem e quando ele replicou que era, além de cego, louco, respondi que também ele era espiritualmente cego e, além de cego, louco, por negar a realidade de uma paz que vinha de Fonte para ele invisível.

Certa vez, no Norte da Índia, lia eu um livro religioso em casa de um amigo e deparei com trechos que não entendia bem. O meu hóspede, doutor em Teologia e Filosofia, deu-me explicações que me pareceram inteiramente satisfatórias. Mais tarde, contudo, encontrei o autor, que explicou os mesmos trechos de modo inteiramente diverso. Às vezes homens instruídos enganam-se com o sentido das Escrituras. Para conhecermos a significação real devemos ir ao autor, isto é, devemos viver com o Espírito Santo, que é o verdadeiro autor das Escrituras.

Há anos ouvi falar de um mendigo no Nepal, que durante 21 anos esmolara. Sempre ambicionara ser rico, mas morreu pobre. Após a sua morte, descobriu-se sob o local em que mendigara durante vinte e um anos, um tesouro sepultado – jóias e outros bens que tinham pertencido a um rei. O mendigo nunca suspeitara da riqueza incomensurável sobre a qual se sentava. Há cristãos que são assim: atravessam a vida sem gozar a paz e a felicidade que lhe são acessíveis em Cristo.

Certa ocasião, pregando, eu disse: "Já vi sobre a água uma ponte de água". O povo comentou: "Ponte de madeira ou de pedra é possível. Mas de água?..." Naquela terra não há inverno e eles nunca viram água gelada. A superfície de um rio, bem gelada, é uma ponte de água, mas eles não podiam entender isto. Como um homem que sempre viveu em terra quente pode entender a existência de uma ponte de água?

Os que vivem em pecado são como quem nunca subiu às montanhas onde a água se transforma em ponte; por isso não podem entender a verdade religiosa; mas os que vivem uma vida de oração são como os homens das terras frias – compreendem.

Exatamente como o pássaro preso na gaiola tem olhos para ver o mundo exterior de liberdade e tem nas asas força para atingir esse mundo, e não o consegue, porque quando tenta fugir, o arame da gaiola detém-no; assim os nossos poderes mentais podem levar-nos a pensar que somos capazes de conquistar a liberdade espiritual, mas quando tentamos a conquista verificamos não passarmos de prisioneiros impotentes nas cadeias do pecado e do mau hábito. Um peixe pode ver, através das malhas da rede, o mar aberto além delas, e talvez pense que tem liberdade para atingi-lo, mas a verdade é que está enredado nessas malhas. E convém lembrarmos que não é a rede que o mata; esta é apenas o instrumento usado para arrancá-lo da água; vai morrer em terra. Da mesma forma, a rede do pecado afasta-nos da presença de Deus, onde poderíamos haurir força e vida e acaba por nos levar à morte.

É bom sinal sentirmos que somos pecadores. Quando não o sentimos, estamos em perigo. Certa ocasião banhava-me eu no Sutlej, e mergulhei até o fundo da torrente. Sobre a minha cabeça havia toneladas de água, mas eu não sentia o peso. Quando subi à margem enchi de água uma vasilha e ela me pareceu pesada. Enquanto estava mergulhado não sentia o peso da água. Também o pecador não sente o peso do pecado enquanto vive nele.

Não vos intrigueis com o perdão ou a falta de perdão de Deus para o pecado. A salvação não consiste em perdão de pecado, mas em libertação do pecado. No Sikkim um homem morria de febre. Colocaram junto do leito algumas frutas e uma faca. Um amigo veio procurá-lo e ele, inconsciente, agarrou a faca e matou-o; condenaram-no à morte pela forca, e marcaram o dia e a hora da execução; entretanto os seus amigos e parentes foram pedir ao rei que o perdoasse, visto ele não estar em si no momento do crime. Quando voltaram foram informados de que ele já estava morto: a febre o matara. O crime fora conseqüência da enfermidade. Foi perdoado, mas a enfermidade, raiz do crime, não desapareceu. É por isso que a Palavra de Deus diz: "Morrereis em vossos pecados". Deus não vos matará. Sim, a enfermidade, que é a raiz dos maus atos, opera inexoravelmente.

Certo rei tinha por primeiro-ministro um sábio e santo homem; havendo feito uma viagem à Palestina o primeiro-ministro impressionou-se profundamente com o que lhe disseram de Cristo, convertendo-se. Ao voltar não fez segredo da nova fé e disse seguir o Salvador que veio ao mundo libertar os pecadores. O rei observou-lhe:

– Quando quero que alguma coisa seja feita, dou ordens aos servos e eles cumprem-nas. Pois por que viria ao mundo o Rei dos reis e por que encarnaria, se com uma palavra poderia salvar os homens?

O vizir pediu-lhe prazo de um dia para a resposta e ordenou a um bom carpinteiro que fizesse um boneco e o vestisse exatamente como se vestia o filhinho do rei, que tinha um ano de idade; no dia seguinte o carpinteiro devia fazer a entrega. E quando, nesse dia, rei e vizir se encontravam juntos num barco e o soberano pediu a resposta, surgiu na praia o carpinteiro com o boneco. O rei estendeu o braço para receber o que, aparentemente, era seu filho; mas o carpinteiro, segundo instruções do ministro, deixou-o cair à água. Imediatamente o rei se atirou ao rio para salvar o filho que se afogava. E o vizir gritou:

– Senhor, não é necessário que te atires à água! Ordena-o e eu me atirarei. Mais tarde, refletindo sobre o incidente e suas lições, o rei comentou:

– Foi o amor paternal que me impeliu.

– Pois foi também o amor o motivo pelo qual, para salvar o mundo, o Deus Todo-poderoso encarnou, em lugar de simplesmente pronunciar uma palavra – replicou o vizir.

Dois rapazes estavam a jogar batota... Naquela terra uma lei sujeitava o jogo à multa de 500 rupias, e quando os oficiais do Governo os surpreenderam, prenderam-nos. Um dos dois era filho de um homem rico, mas o outro, de um pobre camponês. Imediatamente foram pagas as 500 rupias do moço rico e ele foi solto. E como o pobre não podia pagar, continuou preso. Para juntar a quantia necessária sua mãe pôs-se a trabalhar diariamente carregando pedras. As pedras feriam-lhe as mãos, de onde brotavam sangue; quando o rapaz, da janela da prisão viu esse sangue, perguntou:

– Mãe, que feridas são essas nas tuas mãos?

– Estou trabalhando para te salvar – respondeu ela, explicando ao filho o processo adotado para ganhar o dinheiro necessário.

Afinal conseguiu as 500 rupias e libertou o filho.

Mais tarde o rapaz rico viu-o e convidou-o novamente para o jogo.

– Nunca mais – foi a resposta. – Tu facilmente foste solto, mas a minha libertação custou duro trabalho à minha mãe. Nunca mais hei de olhar para o jogo.

Os que como o moço rico, pensam que a salvação do pecado virá facilmente, não têm força para abandoná-lo. Os que, porém, compreendem que Deus encarnou e derramou sangue precioso para nos salvar, fugirão do pecado que tanto sofrimento trouxe ao seu Deus.

Certo dia um lixeiro passou por mim com uma vasilha de lixo tão malcheirosa que quase me fez vomitar. Ele, no entanto, estava de tal modo acostumado àquilo que com a outra mão levava o alimento à boca. Tão bem nos habituamos ao pecado e ao mal, que vivemos no mundo quase sem os notarmos. Mas Cristo devia sentir-se como eu me senti naquele dia. É engano pensar que os sofrimentos de Cristo se limitaram à cruz. Ele esteve trinta e três anos na cruz.

Um caçador saiu a caçar. Logo as pedras que levava acabaram. Queria ferir uma ave que via na árvore próxima. Perto viu um vaso com bonitas pedras; apanhou-as e atirou. Foram cair no rio e somente uma restou; resolveu levá-la, dando-a aos filhos para brincar. No caminho encontrou um comprador de diamantes que ofereceu mil rupias pela pedra. Não quis. E o comprador:

– Pois leva para casa tantas rupias quantas possas carregar em uma hora e meia, mas dá-me a pedra.

Concordou e correu para casa com um volume de dinheiro e voltou logo para apanhar outro. Terceira vez fez o percurso e o tempo se esgotou. Voltou para casa lamentando-se.

Você é tolo – diziam os outros – Em lugar de dar graças a Deus pelo dinheiro que Ele lhe dá, vem a chorar.

– Dou graças a Deus – gemeu ele –; mas fui tão louco que não percebi o valor das pedras. Atirei a água muitas outras. Se as tivesse guardado, seria multimilionário.

Cada dia da nossa vida é uma pedra preciosa. Já gastamos muitos. Hoje pode ser o último. Portanto, arrependamo-nos agora.

Certo mendigo ia regularmente à casa de um santo homem, recebia a comida e retirava-se satisfeito. Um dia não havia alimento preparado na casa e o santo homem pediu-lhe que esperasse um pouco, enquanto o preparavam. Nesse ínterim, puseram-se a conversar e meia hora de palestra transformou a vida do mendigo. Tempos depois perguntou ao homem por que não lhe havia ministrado antes aqueles ensinamentos. "Porque você vinha apenas pedir, e se retirava após receber. Só nesse dia se demorou para conversar".

Passando por uma aldeia no Himalaia, vi um monte de lixo. O mau cheiro era tanto que me causou náuseas. Dias depois passei novamente pelo mesmo lugar. Percebi que um odor suave cobria o mau cheiro. Surpreendido, fui investigar o caso e verifiquei que haviam nascido ali flores que espalhavam ao redor o seu perfume. O calor e a luz do Sol deram às flores beleza e fragrância. O lugar era imundo, mas a própria imundície servia de adubo. Também nós vivemos num mundo sem limpeza, e malcheiroso. Mas se, como as flores, tivermos os corações abertos para o Sol da Justiça, então, como no caso delas, receberemos o seu colorido espiritual e a sua fragrância, e as coisas do mundo, como adubo, nos auxiliarão na vida espiritual.

Quando vemos um grou imóvel à beira da água podemos imaginar, pela sua atitude, que medita na glória de Deus ou na excelência da água. Engano: permanece horas a fio imóvel, mas quando lobriga uma rã ou um peixinho, imediatamente se lança sobre ele e engole-o. Tal é a atitude de muitos, na oração: sentados à margem do oceano incomensurável do amor de Deus, abrigam unicamente o pensamento de adquirir favores especiais.

Numa ocasião, quando descia dos montes, sentei-me no portal de uma casa. Começou a soprar forte vento, que impeliu uma avezinha para o meu lado. De outra banda surgiu um falcão, pronto para a caçada. Atacada por dois lados, ela escondeu-se no meu regaço. É um passarinho arisco, que foge sempre do homem – mas correu para mim na hora do perigo. Assim também o vento do sofrimento nos leva ao regaço de Deus.

Um bicho-da-seda lutava para abandonar o casulo e um ignorante do assunto quando o viu, tendo a impressão de que a luta era muito penosa, rasgou o casulo para que ele saísse livremente. Pouco depois estava morto. Os outros, que saíram sem auxílio, sofreram mas atingiram a plenitude de sua vida e beleza, com asas fortes para voar e manter nova vida.

Nas montanhas do Norte, onde o frio é intenso, os homens costumam aquecer-se da seguinte maneira: colocam brasas numa vasilha e cobrem-nas; amarram a tampa com cordas, envolvem a vasilha em panos e carregam-na sob o braço.

Certa vez três homens viajavam desta maneira, em peregrinação para o lugar santo de Armanath. Um deles viu que outras pessoas sofriam muito com o frio; tirou algumas brasas e acendeu fogo para que todos se aquecessem e assim lhes foi possível reiniciar a viagem. Quando a noite caiu e o grupo foi envolvido pelas trevas, um outro tirou da vasilha algumas brasas e com elas acendeu a tocha, para que viajassem em segurança. O terceiro começou a zombar: "Vocês são tolos – gastam o fogo por causa de outros". "E onde está o seu?", perguntaram-lhe. Abriu o vaso e verificou que continha apenas cinza e carvão. Os outros dois, repartindo, conservaram o que possuíam e ainda deram a outras pessoas calor e luz. O egoísta que quis guardar o fogo só para si acabou por ficar sem ele.

Vede o bicho-da-seda: antes de se vestir de seda, produze-a para outrem; só se torna borboleta depois de fiar a seda que outros usarão. Sacrifica mesmo a vida nessa produção. Pois nós, coroa da criação, a quem Deus fez muito maiores que as demais criaturas, seremos inferiores em serviço prestado ao semelhante?

Um lixeiro converteu-se ao Cristianismo. Quando entregou a Cristo o coração, encontrou paz e sentiu-se salvo; tornou-se testemunha do seu Salvador. Quem o ouvia, comentava: "Este homem possui algo que ainda não temos". Quando pregava, prestavam-lhe a maior atenção possível. Um transeunte, certa vez, perguntou: "Porque ouvem com tanto respeito um lixeiro?" Ele mesmo respondeu: "Quando o meu Salvador se dirigia para Jerusalém montado num jumento, o povo trouxe capas e as colocou sob os seus pés. Não sob os pés de Cristo, mas sob as patas do jumento. Por que fazer isto a um animal? É que nele vinha montado o Rei dos reis. Desde o momento em que Cristo o deixou, ninguém mais pensou nele: Foi honrado somente enquanto Cristo o cavalgou."

Há no Himalaia um ponto em que florescem lindas flores; mas quem ali se demora logo adormece. Os que moram na vizinhança aspiram sempre o perfume de outra planta antes de passarem ali, a fim de contrabalançar os seus efeitos. Quando ouvi contar isto, imaginei que as flores fossem venenosas, mas logo replicaram que não, pois quem ali adormecia geralmente conservava a vida até doze dias depois e quando morria era em conseqüência da fome e da sede. Há também no mundo coisas que em si não são más, mas que apagam a nossa fome e sede espiritual, vindo assim a determinar a nossa morte. E como na outra planta cujo perfume mantém acordados os que por ali passam, também a oração nos manterá vigilantes entre as atrações do mundo.

Certo dia, sentado numa rocha, vi abaixo de mim um pássaro que caminhava vagarosamente. Abaixei-me para observar o que acontecia. Uma serpente arrastava-o para si, com o seu poder hipnótico. Preso pelos olhos fascinantes do réptil o pássaro inconscientemente aproximava-se cada vez mais. E quando chegou a determinado ponto, a serpente o agarrou com os dentes e devorou-o. Poderia ter fugido, enquanto estava longe. Também Satanás tenta arrastar-nos para ele por processos ilusórios e agradáveis. Há apenas um modo de fugir-lhe: em lugar de voltarmos para o Diabo os nossos corações, devemos fazê-lo em relação a Deus.

Eu viajava no Himalaia em companhia de outros. Um de entre nós começou a sentir sede. Quando atingimos um ponto mais alto verificamos que num lado havia uma pequena poça. O moço para lá se dirigiu. O irmão dele, que conhecia o lugar, advertiu-o.

– Não vás; é impossível ir lá e conseguir voltar. Todos os que o fizeram morreram na lama. Se tu esperares um pouco atingiremos a aldeia, que está só a oito quilômetros daqui, e beberás à vontade.

Nós também insistimos com ele. Nada o demoveu.

– Aqui não há lama – dizia. – Ainda é muito cedo e a água está gelada.

Foi até a água e bebeu. Mas quando quis voltar, os pés começaram a enterrar-se. Afundou-se até os joelhos. Tentando sair, mais se atolava. Logo a lama lhe atingia o peito, depois o pescoço. Não havia meio de salvá-lo. Não tínhamos cordas e se algum de nós fosse até lá era certo que morreria também. Ele lamentava-se vendo a morte aproximar-se – embora tivese sido previamente advertido do perigo. De que valiam os seus lamentos? Ali morreu. Muitos amam as coisas do mundo, embora saibam que elas não podem satisfazer a sede da nossa alma, e que são perigosas. Certamente morrerão. Voltemos o coração, não para o mundo, mas para Aquele que pode satisfazer-nos a sede, e viveremos.

No Himalaia comi uma fruta venenosa e durante três dias a minha língua ficou insensível, e perdi o paladar. É também possível perder o paladar para as coisas divinas, isto é, insensibilizar a própria consciência pela experiência do pecado.

Em 1921 houve um incêndio numa floresta do Himalaia. Enquanto a maioria do povo se dedicava ansiosamente a apagá-lo, vi muitos homens que miravam fixamente uma árvore. "Que estão olhando?" – perguntei. Apontaram, preso na árvore cujos galhos começavam naquela instante a arder, um ninho de passarinhos. Em torno esvoaçava uma avezinha desesperada. Os circunstantes disseram-me: "Gostaríamos de poder salvar o ninho, mas é impossível aproximarmo-nos, por causa do fogo". Minutos depois as chamas atingiram o ninho, e eu pensei: Agora a mãe fugirá. Mas, surpreso, vi que voava para os filhotes e os cobria com as asas. Em poucos segundo foi carbonizada, com todos eles. Jamais vira eu coisa semelhante e comentei: não é admirável tanto amor? Mas imaginem como não há de ser maravilhoso o amor daquele que colocou em suas criaturas tão desinteressado afeto. O mesmo amor infinito e generoso fez Jesus Cristo descer a este mundo e tornar-se homem para salvar, com o sacrifício da própria vida, a todos nós que morríamos nos nossos pecados.

Nota Explicativa

Este livro tem como fontes principais três biografias do sadu.

"The Sadhu" é um estudo feito por Streeter e Appaswamy e publicado por Macmillan, em Londres. Analisa cuidadosamente a personalidade e as idéias do sadu, dando especial atenção à psicologia do seu misticismo. Os autores estiveram em íntimo contato com Sundar Singh, na Inglaterra.

"Sadhu Sundar Singh, Called of God" é uma narrativa ordenada e pormenorizada da sua vida, feita pela senhora Arthur Parker, pessoa a quem o sadu estivera ligado por fraternal amizade, na Índia. Publicada pelo Student Christian Movement, de Londres.

"Sadhu Sundar Singh, el hombre que se parecia a Cristo", é uma série de recordações pessoais de F. C. Andrews, relacionadas com o sadu, de quem fora também amigo íntimo. Vertida para o castelhano por Rosa Ruiz de la Peña e publicada por "ediciones Alba", México, D.F.

Os dois primeiros foram lidos pelo sadu, antes da publicação, de sorte que não há neles pormenor falso ou imaginário. O terceiro limita-se a recordações pessoais, o que assegura o seu valor como fonte histórica, dado o caráter e a cultura do seu autor.

Tenho também em meu poder três livros escritos por Sundar Singh: "Realidade e Religião", traduzido para o português por Carlos Gordinho, e editado pelo Centro Brasileiro de Publicidade; "The Search After Reality", edição de Macmillan, e "The Spiritual Life" (Meditations on Various Aspects of), também editado por Macmillan.

Não se encontram atualmente à venda, dentre as obras do sadu: "Vision of the Spiritual World" - Macmillan, ed.; "With and Without Christ", Cassel and Co.; "At the Master's Feet", Fleming H. Revell and Co.; "Par Christ et Pour Christ", Secretariat Suisse de la Mission aux Indes, Lausanne. E "Soul-Stirring Messages", C.M.S. Industrial Press, Sikandra.

Escreveram-lhe ainda a biografia: Heiler, de Marburg - "The Gospel of Sadhu Sundar Singh" e O. Pfiser, de Berna - "Die Legenda Sundar Singhs": o último tentando negar certos elementos maravilhosos na vida do biografado.

Tive em mãos várias revistas com artigos do sadu ou a respeito dele.

Agradeço ao doutor Stanley Jones a entrevista que, referente ao sadu, me concedeu quando passou por São Paulo, em 1945. E ao reverendo Miguel Rizzo, a oportunidade de escrever o livro e o estímulo da sua boa vontade.

Sobre Sundar Singh foi escrito mais um livro, nos Estados Unidos, por "miss" Mary Campbell, de Nova Iorque.

Evitei entrar em pormenores técnicos de teologia, narrando simplesmente a vida do homem que, conforme diz Stanley Jones em "The Christ of the Indian Road", é a personalidade representativa do que de melhor existe no cristianismo indiano: "Envolto na grande capa amarela, pés descalços, desprovido de qualquer bem terreno, rosto sereno e pleno de gozo, dá-me ele a impressão de que acaba de sair das páginas do Novo Testamento. O mundo curvase para ouvir a música que o Cristianismo produz ao passar através da sua personalidade. Quando visita a Europa, não há igrejas ou teatros suficientemente grandes para receberem a multidão, nos grandes centros universitários. E, à medida que o ouvem, apreendem os novos acentos e matizes musicais que se infiltram através da nossa complexa vida atual e demonstram existir nova vida, onde sentimos a majestade imperial do reino do espírito e conhecemos bem a paz e a harmonia resultantes de uma vida completamente submissa ao 'Cristo do Caminho Hindu'".

Finalmente: este livro é dedicado a três amigos – Wilson Lício, Antônio Ferreira da Silva e Gutemberg de Campos.

"Toda história nas mãos de Deus, tem que dar certo!"

Amém!

03/11/08

Raquel 3043-5887